# ASTÉRIX
## CHEZ LES PHILOSOPHES

**philosophie**
HORS-SÉRIE   MAGAZINE

# LE TARMAC

**LA SCÈNE INTERNATIONALE FRANCOPHONE**

# EN QUOI FAISONS-NOUS COMPAGNIE
## AVEC LE MENHIR DANS LES LANDES ?

**THÉÂTRE**

texte et mise en scène **Marielle Pinsard**
avec **Judicaël Avaligbe, Koraline de Baere, Julie Cloux, Edoxi Gnoula, Piera Honegger, Albert Hounga, Guy E. Kponhento, Valerio Scamuffa, Sally Sly**

**13 nov. → 5 déc. 2014**

**Le TARMAC** - 159 avenue Gambetta - 75020 Paris
Réservations **01 43 64 80 80** - www.**letarmac**.fr

Dans ce spectacle, il est, de prime abord, peu question des landes et des menhirs mais beaucoup de l'homme et de la bête. Un thème sur lequel l'artiste suisse est allée interroger ses homologues au Burkina Faso, au Bénin, au Mozambique et en Afrique du Sud. Elle en est revenue avec des images qu'elle a entrechoquées, enlacées... **Une folie mesurée, un humour dévastateur, un spectacle loufoque, délirant et dérangeant !**

# PARCE QUE C'ÉTAIT LUIX

SVEN ORTOLI / rédacteur en chef

→ **N**ées à la fin des années 1950, les *Aventures d'Astérix* sont centrées sur trois préoccupations renforcées par la guerre: l'amitié, la résistance et le rapport à l'étranger. Il y a en somme, déclinée au cœur des albums, la question de l'Autre.

Au pluriel d'abord: pourquoi les autres sont-ils les autres, c'est-à-dire étranges? La réponse de Goscinny et Uderzo est sans ambiguïté: parce qu'ils sont fous et généralement sympathiques. Encore faut-il savoir leur parler, donc comprendre ce qui fait la quintessence de leurs caractères nationaux. En 1922, Walter Lippmann remarquait (dans *Public Opinion*) que «*de toutes les influences qui s'exercent sur nous, celles qui créent et maintiennent le répertoire des stéréotypes sont les plus subtiles et les plus répandues*». Dans notre atelier mental, nous gravons en somme des clichés tout aussi rigides que les coulages de plomb des ateliers typo. Contiennent-ils une part de vérité? À coup sûr, ils en fabriquent, à la manière de ces mafieux italo-américains qui, après avoir vu *Le Parrain*, adoptèrent un *look* et des attitudes inspirées du film. Et, à coup sûr encore, ils nous rassurent. Sur nous-mêmes, et parfois sur les autres. «*Le monde*, dit encore Lippmann, *nous est raconté avant que nous le voyions. Nous*

*imaginons la plupart des choses avant d'en faire l'expérience.*» Goscinny et Uderzo ont le stéréotype bienveillant – sans dommage pour le lecteur qui les prendrait au pied de la lettre – et invitent à réfléchir à notre façon d'essentialiser la nature d'un groupe: les Corses sont forcément fiers et susceptibles, les Helvètes ponctuels et propres, les Belges blagueurs et généreux et les Britanniques impassibles et pointilleux sur l'état de leur gazon.

Seuls les Goths échappent (en partie) à la bienveillance des auteurs et rappellent en filigrane que le stéréotype est aussi un poison. Encore faut-il préciser que la guerre est dans toutes les mémoires lorsque Astérix s'aventure au-delà du Rhin. D'où la question posée cette fois au singulier: que se passe-t-il lorsque l'autre devient menaçant? Qu'il s'agisse de l'envahisseur goth ou du légionnaire romain, comment s'opposer à la mondialisation dans sa version *pax romana*? En résistant. Avec les poings grâce à une potion magique. Quelle est sa recette? Cela dépend: chez les Grands-Bretons, un peu comme chez leurs lointains descendants qui ont vécu le Blitz, quelques feuilles de thé suffisent. Dans une France où il avait été nécessaire de transformer les années d'occupation en années de résistance, il fallait quelque chose de plus fort… Seul Panoramix sait quoi, mais disons sans grand risque d'erreur qu'au moins dans sa recette gauloise on repérerait parmi les ingrédients la fraternité et, *last but not least,* l'amitié.

Une amitié entre un petit teigneux rusé comme Ulysse et un gros pas malin fort comme Hercule (et vif comme Achille). Oh! pas une amitié de lettré, fondée sur l'idée (cicéronienne) que l'ami est une copie améliorée de soi, mais l'une de ces amitiés d'enfance entre carpe et lapin qui miraculeusement résiste à l'érosion du temps, c'est-à-dire à ce que nous devenons. «*Quand nous nous transformons fortement*, écrit Nietzsche, *nos amis qui n'ont pas changé deviennent des fantômes de notre propre passé: le son de leur voix nous arrive de façon effroyablement spectrale.*» On peut relire les albums, Astérix et Obélix n'ont pas vieilli, nous si, mais la chaleur de leur amitié n'a pas pris une ride. ●

# CONTRIBU-
# TEURS

**01_STEFANO ADAMO**
> Philologue italien à l'université de Banja Luka (Bosnie-Herzégovine), il a récemment signé un article sur les stéréotypes culturels et linguistiques dans *Astérix*. **Il évoque la résistance culturelle des peuples d'Europe à l'Empire romain, pp. 44-45**

**02_MARC AUGÉ**
> Né en 1935, anthropologue et directeur d'études à l'EHESS, il a signé *Une ethnologie de soi: le temps sans âge* (Seuil, 2014). **Pour lui, ces Gaulois de papier, parce que hors du temps, sont les mieux à même de railler tout recours politique à un homme providentiel, p. 79**

**03_JULIAN BAGGINI**
> Né en 1968, philosophe anglais et cofondateur de *The Philosophers' Magazine*, il a écrit *Les Vertus de la table: comment manger et penser* (Granta Books, 2014, non traduit). **Il décrypte le stoïcisme des (Grands-)Bretons imaginaires de René Goscinny, pp. 24-27**

**04_ALAIN CAILLÉ**
> Né en 1944, sociologue, économiste et anthropologue, il est l'inspirateur du *Manifeste convivialiste. Déclaration d'indépendance* (Le Bord de l'eau, 2013). **Il en appelle à l'union des Astérix de tous les pays autour d'un socle commun à tous les altermondialismes, pp. 70-71.**

**05_PASCAL CHABOT**
> Né en 1973, philosophe belge, il est l'auteur de *Global burn-out* (PUF, 2013). **Il rend hommage à la fonction pacificatrice des Belges, dont l'identité incertaine tourne en ridicule l'orgueil identitaire des Gaulois… et des autres, pp. 28-29.**

**06_VALÉRIE CHAROLLES**
> Née en 1969, économiste et philosophe, elle est l'auteure d'une *Philosophie de l'écran. Dans le monde de la caverne* (Fayard, 2013). **Elle exhorte l'Europe à renoncer au mirage de la croissance, cette illusion de potion magique, p. 74.**

**07_FLORENCE DUPONT**
> Professeure à Paris-VII et spécialiste de la civilisation romaine, elle est l'auteure de *Rome, la ville sans origine* (Gallimard, 2011). **Elle soutient qu'Astérix et César ont pactisé pour faire durer éternellement la guéguerre qui les oppose, pp. 62-64**

**08_WOLFRAM EILENBERGER**
> Né en 1972, écrivain et rédacteur en chef du *Philosophie Magazin* allemand, il oppose à l'empire de l'herméneutique le refus de comprendre l'Autre tel qu'il se manifeste dans *Astérix*, pp. 48-50

**09_MICHEL ELTCHANINOFF**
> Né en 1969, rédacteur en chef adjoint de *Philosophie magazine*, il fera paraître en 2015 *Dans la tête de Vladimir Poutine* (Actes Sud). **Il voit dans le banquet des Gaulois le signe d'un équilibre instable menacé par le progrès, pp. 94-98**

**10_RAPHAËL ENTHOVEN**
> Né en 1975, philosophe et écrivain, il anime des émissions sur Arte et sur France Culture. **Il oppose deux Romains immoraux à l'optimisme vertueux de Socrate et de Descartes, pp. 92-93**

**11_SONIA FEERTCHAK**
> Née en 1974, ex-journaliste, elle est l'auteure de *L'Encyclo des filles* (Plon, 2002; réédition Gründ, 2014). **Elle lit dans le caractère entier de la belle Mme Agecanonix les prémices du passage de l'épouse modèle des années 1950 à la femme accomplie d'aujourd'hui, pp. 56-57**

**12_JÉRÔME FERRARI**
> Né en 1968, écrivain et traducteur de romans corses, il est l'auteur du *Sermon sur la chute de Rome* (Actes Sud, prix Goncourt 2012). **Il s'amuse de l'effet sur les Corses des stéréotypes parodiés par *Astérix*, pp. 30-34**

**13_RAINER FORST**
> Né en 1964, philosophe allemand et professeur à l'université de Francfort, il est l'auteur d'essais non traduits sur la politique et la justice. **Il excuse l'apparente brutalité des Goths par leur ardent désir d'être libres, pp. 42-43**

**14_CAMILLE FROIDEVAUX-METTERIE**
> Professeure de science politique à l'université de Reims Champagne-Ardenne et membre de l'Institut universitaire de France, elle vient d'écrire *La Révolution du féminin* (à paraître en 2015 chez Gallimard). **Elle rend hommage, avec Maestria, à la féminité des féministes du XXIe siècle, pp. 51-52**

**15_TRISTAN GARCIA**
> Né en 1981, philosophe et romancier, il est l'auteur de *Six Feet Under. Nos vies sans destin* (PUF, 2012). **Il décèle dans *Astérix* le désir enfantin d'une suspension du temps, d'une « stase du pittoresque » arrachée à l'Histoire, pp. 18-22**

**16_PHILIPPE D'IRIBARNE**
> Né en 1937, directeur de recherche au CNRS, il est l'auteur de *L'Étrangeté française* (Seuil, 2006; réédition « Points Essais », 2008). **Il repère dans le village gaulois un singulier rapport à l'autorité qui anime encore les entreprises françaises, pp. 82-83**

**17_JÉRÔME DARGENT**
> Né en 1959, docteur en médecine et en philosophie, il a écrit *Le Corps obèse. Obésité, science et culture* (Champ Vallon, 2005). **Il s'interroge sur l'obésité d'Obélix et sur la nature de sa force, p. 55**

**18_PHILIPPE NASSIF**
> Né en 1971, conseiller de la rédaction de *Philosophie magazine*, il est l'auteur de *La Lutte initiale: quitter l'empire du nihilisme* (Denoël, 2011). **Il détecte dans le silence forcé d'Assurancetourix le signe d'un refoulement de l'histoire de la France occupée, pp. 58-59**

**19_PHILIPPE RAYNAUD**
> Né en 1952, professeur de philosophie politique à Paris-II et à Sciences-Po, il a signé *Trois Révolutions de la liberté: Angleterre, États-Unis, France* (PUF, 2009). **Il replace *Astérix* dans le contexte de son époque optimiste et plutôt conservatrice, pp. 80-81**

**20_NICOLAS ROUVIÈRE**
> Né en 1973, maître de conférences à l'université Stendhal de Grenoble, il a signé *Le Complexe d'Obélix* (PUF, 2014). **Il lit dans *Le Domaine des dieux* la possibilité d'une réaction à la modernité occidentale, pp. 68-69**

**21_FERNANDO SAVATER**
> Né en 1947, essayiste et philosophe espagnol, il est l'auteur de *Penser sa vie. Une introduction à la philosophie* (Seuil, « Points Essais », 2009). **Il encourage les nationalistes de tous les pays à se garder de l'esprit de sérieux qui leur fait prendre les stéréotypes pour des réalités, pp. 35-36**

**22_MATTHIEU SIMON**
> Né en 1992, étudiant à HEC et passionné de philosophie, **il a contribué à la traduction d'articles pour ce numéro.**

**23_LARS SVENDSEN**
> Né en 1970, philosophe norvégien, professeur à l'université de Bergen, il est l'auteur d'une *Petite philosophie de l'ennui* (Le Livre de Poche, 2006). **Il découvre dans l'absence de langage symbolique la source du courage brutal des Vikings, pp. 37-39**

**24_PASCAL TARANTO**
> Né en 1965, professeur à l'université de Nantes, boxeur et haltérophile, il est l'auteur de *Memento mori, philosophie du K.-O.* (M-Éditer, 2010). **Il recommande la bagarre pour exorciser les passions tristes et résister par la force à la force du non-droit, pp. 76-78**

**25_NICOLAS TAVAGLIONE**
> Philosophe et politologue suisse, maître-assistant au DSPRI de Genève, il est l'auteur de *Gare au gorille. Plaidoyer pour l'État de droit* (Labor et Fides). **Pour lui, l'extrême droite suisse élève le folklore caricaturé par *Astérix* au rang de doctrine politique, pp. 40-41**

**26_SERGE TISSERON**
> Né en 1948, psychiatre et psychanalyste, enseignant-chercheur à Paris-VII, il est l'auteur de *La Résilience* (Que sais-je?, PUF, 2007). **Il entreprend une comparaison entre potion magique et résilience, pp. 84-85**

**27_GEORGES VIGARELLO**
> Né en 1941, directeur de recherches à l'EHESS, il est l'auteur du *Sentiment de soi* (Seuil, 2014). **Il nous accorde un entretien sur la liberté gourmande des Gaulois, pp. 53-54**

**28_HEINZ WISMANN**
> Né en 1935, à Berlin, philologue et philosophe, directeur d'études émérite à l'EHESS, il est l'auteur de *Penser entre les langues* (Albin Michel, 2012). **Il associe l'étrange succès d'*Astérix* en Allemagne au rapprochement franco-allemand des années 1970, pp. 65-67**

**29_FRÉDÉRIC WORMS**
> Né en 1964, philosophe, professeur à l'École normale supérieure et spécialiste de Bergson, il est l'auteur de *Penser à quelqu'un* (Flammarion, 2014). **Il nous accorde deux entretiens, l'un sur la traduction des textes des albums de Goscinny et Uderzo, et l'autre sur la dimension morale d'*Astérix*, pp. 14-17 et 88-91**

**JEAN MOUZET**
> Né en 1990, titulaire d'un master en histoire de la philosophie. **Il a collaboré à l'ensemble de ce numéro.**

Rendez-vous du 17 au 21 novembre, de 6 heures à 6 h 30 sur France Culture, pour une semaine d'émissions *Un autre jour est possible* intitulée **« Astérix? un Européen, par Toutatis! ».** En partenariat avec *Philosophie magazine.*
Écoute, réécoute et podcast sur franceculture.fr

MENSUEL, 10 NUMÉROS PAR AN / **Rédaction:** 10, rue Ballu 75009 Paris / **E-mail:** redaction@philomag.com / **Information lecteurs:** 01 43 80 46 10 / www.philomag.com / **Directeur de la rédaction:** Alexandre Lacroix / **Service abonnés:** Philosophie magazine, 10, rue Ballu 75009 Paris – France (01 43 80 46 11), abo@philomag.com / **Offres d'abonnement:** www.philomag.com / **Diffusion:** Presstalis / **Contact pour les réassorts diffuseurs:** À Juste Titres (04 88 15 12 42 – Julien Tessier, j.tessier@ajustetitres.fr)

**HORS-SÉRIE « ASTÉRIX CHEZ LES PHILOSOPHES »,** novembre 2014-janvier 2015 / **Rédacteur en chef du hors-série:** Sven Ortoli / **Rédacteurs stagiaires:** Jean Mouzet et Matthieu Simon / **Révision et SR:** Vincent Pascal et Noël Foiry / **Direction artistique:** Jean-Patrice Wattinne/L'éclaireur / **Iconographie:** Cécile Vazeille-Kay / **Couverture:** © Éditions Albert-René / **Directeur de la publication:** Fabrice Gerschel / **Responsable administrative:** Sophie Gamot-Darmon / **Photogravure:** Key Graphic / **Impression:** Imprimerie Pollina, Z.I. de Chasnais - 85407 Luçon / **Commission paritaire:** 0516 K 88041 / **ISSN:** 2104-9246 / **Dépôt légal:** à parution / **Philosophie magazine** est édité par Philo Éditions SAS au capital de 238 900 euros, RCS Paris B 483 580 015 / **Siège social:** 10, rue Ballu, 75009 Paris / **Président:** Fabrice Gerschel / **Relations presse:** Canetti Conseil (01 42 04 21 00), francoise.canetti@canetti.fr / **Publicité culturelle et littéraire, partenariats:** Julie Davidoux (01 71 18 25 75), jdavidoux@philomag.com / **Publicité commerciale:** Kamate Régie, Dominique Olivier-Tourmanoff, directrice générale (01 47 68 59 43), dolivier@kamateregie.com / **Imprimé en France,** Printed in France / *La rédaction n'est pas responsable des textes et documents qui lui sont envoyés. Ils ne seront pas rendus à leurs propriétaires /*

# SOMMAIRE

# CHRONOLOGIE

# ASTÉRIX, HÉROS EUROPÉEN

D'*Astérix le Gaulois* à *Astérix chez les Pictes*, les aventures des valeureux Gaulois se poursuivent, au fil de 35 albums, sur plus d'un demi-siècle. Si elles se font souvent l'écho des événements de leur temps, elles suscitent aussi parfois en retour quelques clins d'œil de l'actualité.

ALBUMS
D'*ASTÉRIX*

CONTEXTE
HISTORIQUE

ÉVÉNEMENTS
SOCIO-CULTURELS

› **1957 /** Boris Vian écrit le texte d'une chanson pour Henri Salvador : *Nos ancêtres les Gaulois*.

› **Février 1959 /** Création du ministère des Affaires culturelles par le général de Gaulle. André Malraux ministre.

› **1960 /** *Spartacus*, de Stanley Kubrick, avec Kirk Douglas.

## 1961                                                                1965

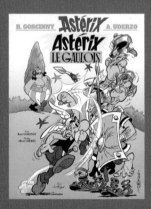

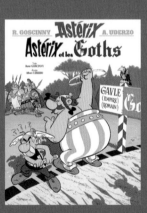

› **1961 /** *Astérix le Gaulois* paraît en album. Tirage : 6 000 exemplaires.

› **Août 1961 /** Début de la construction du mur de Berlin.

› **Septembre 1961 /** Premier congrès, en Yougoslavie, du Mouvement des non-alignés, qui entendent résister à la double influence impérialiste des États-Unis et de l'URSS.

› **Juillet 1962 /** *La Serpe d'or*. 15 000 exemplaires.

› **21 janvier 1962 /** Jacques Angelvin, animateur télé, est arrêté à New York pour trafic d'héroïne, dans le cadre de la lutte contre la *French Connection*. Il transportait 52 kg d'héroïne pure dans une Buick acheminée par paquebot depuis la France.

› **Juillet 1963 /** *Astérix et les Goths.* Premier voyage des Gaulois à l'étranger. La division entre Wisigoths et Ostrogoths évoque la séparation de l'Allemagne entre RFA et RDA.

› **Juin 1963 /** 150 000 jeunes, place de la Nation à Paris, pour le concert-anniversaire de l'émission *Salut les copains*, premier rassemblement de «yéyés», comme les baptisera Edgar Morin.

› **1964 /** *Astérix gladiateur.* 60 000 exemplaires. Les Habitations latines mélangées y font pièce aux HLM (Habitations à loyer modéré) créées en 1950 pour succéder aux HBM (Habitations bon marché) créées en 1894.

› **Janvier 1965 /** *Le Tour de Gaule d'Astérix* fait découvrir aux deux héros les embouteillages de la VR VII et montre une Gaule majoritairement résistante à l'occupation romaine. L'expression «Ils sont fous, ces Romains !» passe dans le langage courant.

# 1965

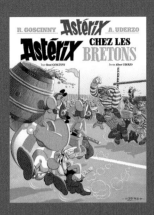
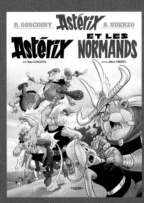

# 1967

› Juillet 1965 / *Astérix et Cléopâtre.* Inspiré du film *Cléopâtre* (1963) de Joseph L. Mankiewicz, avec Elizabeth Taylor et Richard Burton.

› Novembre 1965 / La France lance son premier satellite baptisé *Astérix* et devient la 3e puissance spatiale.

› Décembre 1965 / Charles de Gaulle réélu président (ballottage au premier tour avec François Mitterrand).

› Janvier 1966 / *Le Combat des chefs.* 600 000 exemplaires.

› Mars 1966 / La France quitte le commandement intégré de l'Otan.

› 1966 / Le Club Med, ex-association à but non lucratif fondée en 1950 devenue une SA, crée son premier Village en dur à Agadir (Maroc).

› Juillet 1966 / *Astérix chez les Bretons.* 600 000 exemplaires vendus en quinze jours.

› Septembre 1966 / *Astérix* fait la une de *L'Express.*

› Janvier 1967 / *Astérix et les Normands.* Le Lutétien Goudurix introduit la mode yéyé au village et le Monkix. Cette danse fait allusion au Monkey, popularisé en 1963.

› Juillet 1967 / *Astérix légionnaire.* Idéfix pleure un arbre arraché par Obélix, devenant ainsi le premier chien écologiste connu à ce jour.

› 24 Juillet 1967 / En visite au Canada, le général de Gaulle lance son célèbre : *« Vive le Québec libre ! »*

› Décembre 1967 / *Astérix le Gaulois,* film réalisé par Ray Goossens.

# 1968

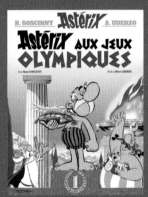

# 1970

› Janvier 1968 *Le Bouclier arverne,* parodie de la vogue des cures thermales.

› Mai 68 / La vague de contestation atteint même le journal *Pilote,* dont Goscinny est le rédacteur en chef.

› Juillet 1968 / *Astérix aux jeux Olympiques.* 1 200 000 exemplaires pour le premier tirage.

› Octobre 1968 / jeux Olympiques de Mexico. Deux coureurs noirs américains, sur le podium, brandissent un poing ganté de noir pendant l'hymne américain pour protester contre la politique de ségrégation raciale des États-Unis.

› Janvier 1969 / *Astérix et le Chaudron* met en scène *« le type même du collabo dégueulasse »* (*dixit* Uderzo) qui paye tribut aux forces d'occupation et se rembourse sur le dos des Gaulois.

› Septembre 1969 / *Satyricon,* film de Fellini, d'après le roman de Pétrone. Uderzo s'en inspirera pour les orgies d'*Astérix chez les Helvètes.*

› Octobre 1969 / *Astérix en Hispanie.* L'Espagne reçoit 20 millions de touristes cette année-là.

› Novembre 1969 / Ouverture du gigantesque centre commercial Parly 2 (architecte : Claude Balick, promoteur : Robert Zellinger de Balkany), ceint de 7 500 logements. *« Le bonheur d'être à l'Ouest. »*

› Avril 1970 / *La Zizanie.* Apparition de la femme d'Agecanonix.

› Août 1970 / Des féministes déposent une gerbe à la femme du Soldat inconnu, vingt-cinq ans après le premier vote des femmes au suffrage universel.

› 1970 / Parution de *La Société de consommation* de Jean Baudrillard.

# 1970

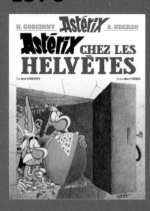

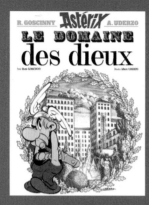

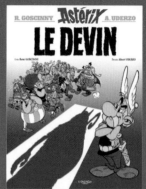

# 1973

› **Octobre 1970 / *Astérix chez les Helvètes.*** D'après une idée suggérée par Georges Pompidou.

› **1971 / *Le Domaine des dieux.*** En écho à l'inauguration de Parly 2.

› **1972 / *Les Lauriers de César.***

› **1972 / *Le Devin.***

À partir de 1971, l'astrologue française surnommée Madame Soleil anime sur Europe 1 une émission populaire, qui durera vingt-trois ans.

› **Avril 1973 / *Astérix en Corse.*** 1 300 000 exemplaires.

› **1973 /** Parution de *L'Utopie ou la Mort !* de René Dumont, devenu un classique de l'écologie radicale.

› **Octobre 1973 /** Le choc pétrolier provoque une crise économique majeure qui met fin aux «trente glorieuses».

# 1974

# 1980

› **Juillet 1974 / *Le Cadeau de César*** fait une allusion au duel électoral de Giscard et Mitterrand et à leur célèbre débat télévisé.

› **Mai 1974 /** Élection de Valéry Giscard d'Estaing. Le candidat écologiste René Dumont obtient 1,32 % des suffrages.

› **1975 / *La Grande Traversée.*** Les Vikings découvrent l'Amérique, deux jours après Astérix et Obélix.

› **4 janvier 1975 /** Aux États-Unis, le gouvernement fédéral reconnaît aux tribus amérindiennes le droit de s'administrer elles-mêmes.

› **1976 / *Obélix et compagnie*** Jacques Chirac, Premier ministre, y est parodié en «*néarque*».

› **2 novembre 1977 /** L'indépendantiste québecois René Levesque évoque Astérix dans un discours au palais Bourbon.

› **5 novembre 1977 /** René Goscinny meurt d'une crise cardiaque, à 51 ans, sur le vélo d'appartement de son cardiologue.

› **1979 / *Astérix chez cles Belges,*** dernier scénario écrit par René Goscinny.

› **1980 / *Le Grand Fossé.*** Uderzo y évoque la situation berlinoise, mais reçoit des lettres de Belges (sur la division entre Flamands et Wallons), et Français (giscardiens contre mitterrandiens).

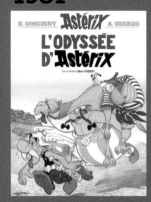 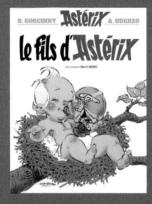   

› 1981 / *L'Odyssée d'Astérix.* Goscinny apparaît dans l'album sous les traits du commis Saül Péhyé. Les deux héros traversent un désert où Mèdes, Akkadiens, Hittites, Assyriens et Sumériens se font la guerre.

› Juin 1982 / L'armée israélienne intervient au Liban, dans le cadre de l'opération Paix en Galilée.

› 1983 / *Le Fils d'Astérix.*

› Décembre 1982 / Françoise Giroud publie *Le Bon Plaisir*, roman dont l'un des principaux protagonistes est le fils caché d'un président de la République. L'ouvrage est publié aux éditions Mazarine.

› 1987 / *Astérix chez Rahãzade.*

› 1985 / Parution du livre d'Alain Duhamel, *Le Complexe d'Astérix*, qui dépeint les Français comme 55 millions de frondeurs.

› Octobre 1991 / *La Rose et le Glaive* Parodie du féminisme.

› 15 juillet 1991 / *Astérix* illustre la couverture de *Time Magazine* consacrée à «la nouvelle France».

› 1994 / Selon Ipsos, 68% des Français de plus de 15 ans ont lu au moins un album d'*Astérix*.

› 1996 / Dans *La Galère d'Obélix*, l'amiral romain Cétinconsensus se déclare *«responsable, mais pas coupable».* Une allusion à la déclaration en 1992, lors de l'affaire du sang contaminé, de Georgina Dufoix, ministre des Affaires sociales de 1984 à 1986.

   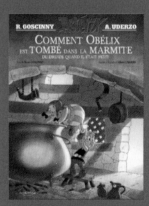 

› 2001 / *Astérix et Latraviata.* Huit millions d'exemplaires dans toute l'Europe, dont 3 millions en France.

› 2002 / *Astérix et Obélix, mission Cléopâtre;* le film d'Alain Chabat totalise près de 25 millions d'entrées dans le monde.

› 2003 / *Astérix et la Rentrée gauloise.* Une compilation d'histoires courtes inédites en album.

› 2005 / *Le Ciel lui tombe sur la tête.* Huit millions d'exemplaires pour cette aventure qui voit Astérix croiser la route d'extraterrestres.

› 1er février 2003 / Pour expliquer le crash de la navette spatiale *Columbia*, nombre d'internautes évoquent une intervention d'ovnis.

› 2009 / *L'Anniversaire d'Astérix et Obélix*, le livre d'or.

› 2011-2012 / *Gaulois, une expo renversante*, à la Cité des sciences, revient sur deux mille ans de mythes politiques depuis les premières fouilles sous Napoléon III : les Gaulois étaient un peuple hautement civilisé, loin de l'image ripailleuse et barbare diffusée dès *La Guerre des Gaules* de Jules César.

› 2013 / *Astérix chez les Pictes,* par Jean-Yves Ferri et Didier Conrad, premier album sans Goscinny ni Uderzo.

› 2014 / Avec 350 millions d'albums vendus, traduits en 111 langues et dialectes, *Astérix* est la bande dessinée franco-belge la plus lue au monde.

- ⚪ VERSION FRANÇAISE
- ⚫ VERSION ANGLAISE
- ⚫ VERSION AMÉRICAINE
- ⚪ VERSION ALLEMANDE

- Abraracourcix
- Vitalstatistix
- Macroeconomix
- Majestix

- Panoramix
- Getafix
- Magigimmix
- Miraculix

GLING! GLING! GLING!

- Agecanonix
- Geriatrix
- Arthritix
- Methusalix

- Assurancetourix
- Cacofonix
- Malacoustix
- Troubadix

- Ordralfabétix
- Unhygienix
- Epidemix
- Verleihnix

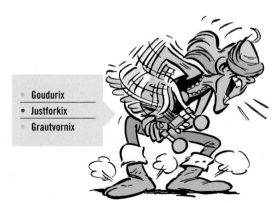

- Goudurix
- Justforkix
- Grautvornix

- Lentix
- Clovogarlix
- Stupidix

ASTÉRIX CHEZ LES PHILOSOPHES
## ÉPREUVES DE VERSION LATINE

* ENTRETIEN AVEC FRÉDÉRIC **WORMS** *

# Épreuves de version latine au concours de l'*ix*

Traduire Astérix, un travail de Romain? Comment transcrire en anglais le patronyme Zebigbos
*(The big boss)* de la version française? En adaptant le système souple de calembours, jusqu'au *nonsense*,
de Goscinny, contemporain du structuralisme, explique le philosophe Frédéric Worms.
Seuls les noms des stars du «ix», Astérix et Obélix, restent ici invariables dans toutes les langues,
inamovibles comme un menhir sacré. Sauf en langage typographique, où ils s'écrivent «*» et «†».

Propos recueillis par Sven Ortoli

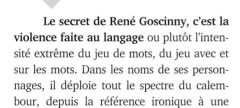

**Le secret de René Goscinny, c'est la violence faite au langage** ou plutôt l'intensité extrême du jeu de mots, du jeu avec et sur les mots. Dans les noms de ses personnages, il déploie tout le spectre du calembour, depuis la référence ironique à une réalité jusqu'au pur non-sens, en passant par le mélange des deux. Par exemple, Agecanonix: c'est le nom du doyen du village, qui renvoie à l'âge «canonique» des femmes de quarante ans ou plus, autorisées par le droit canon à seconder les curés sans risques de dépravation. Expression devenue courante, mais ici à la fois précise et déformée (par la rime géniale en «ix», qui fait de tout *Astérix* un immense poème). Et cela devient encore plus drôle à partir du moment où Goscinny a marié son (certes fringant) vieillard de quatre-vingt-treize ans avec la seule belle jeune femme du village, qui n'a pas même de nom à elle. Qui n'a pas rêvé à M^me Agecanonix… Mais son humour se passe aussi très bien du renvoi au réel: les assurances tous risques qui ont donné leur nom au barde n'ont strictement rien à voir avec la musique! Quant aux noms des deux héros, ils sont un clin d'œil de Goscinny à son grand-père typographe: l'obèle ne renvoie pas à l'obélisque (si proche du menhir) mais à une croix (†) utilisée en couple avec l'astérisque (*) pour indiquer les passages modifiés dans un manuscrit antique. Si tous les

**FRÉDÉRIC WORMS (1964-)**
Spécialiste de Bergson, philosophe et directeur du Centre international d'étude de la philosophie française contemporaine (CIEPFC) à l'École normale supérieure. Derniers ouvrages parus : *Le Moment du soin. À quoi tenons-nous ?* (PUF, 2010) ; *Revivre. Éprouver nos blessures et nos ressources* (Flammarion, 2012) et *Penser à quelqu'un* (Flammarion, 2014).

16

ÉPREUVES DE VERSION LATINE AU CONCOURS DE L'IX
_ Entretien avec Frédéric Worms

noms des personnages d'*Astérix* avaient un rapport direct avec leur métier ou leur personnalité, cela aurait pu passer pour un simple procédé. Mais Goscinny n'est jamais là où on l'attend.

Ses traducteurs n'ont pas toujours su rendre ce pli singulier de son humour qui touche parfois à l'absurde. Les Anglo-Saxons, par exemple, ont rabattu le nom du druide sur son activité : la magie côté américain, avec «Magigimmix» (au catch, le *gimmick* est le personnage incarné par le catcheur, c'est aussi le «truc» qui résout tout), et la drogue côté anglais avec «Getafix» (*get a fix* : prends ta dose), qui renvoie à l'argot des toxicomanes. C'est bien trouvé, mais Goscinny va plus loin, à mon goût, avec cette trouvaille supérieure du «panoramique», sans aucun rapport avec le métier de druide ! pur *nonsense* que la traduction anglaise n'a pas su ou pas voulu rendre.

Mais après tout, Goscinny et Uderzo ne voulaient pas tant des traductions que des adaptations fidèles à l'esprit de la série et qui soient des clins d'œil au contexte des lecteurs. Les variantes des noms du chef sont éloquentes ! En France, «Abraracourcix» renvoie à l'expression «tomber à bras raccourcis sur quelqu'un», c'est-à-dire retrousser ses bras de chemise et cogner comme une brute : Abraracourcix, c'est le chef guerrier qui a fait Gergovie. Mais cela évoque aussi des bras courts sur un corps ventripotent : ironie ! Alors que le «Majestix» de la version allemande suggère le prestige majestueux d'un empereur. Et en Angleterre ou aux États-

Unis, qui détient le pouvoir ? Le banquier, les puissances économiques : «Vitalstatistix» pour les Anglais et «Macroeconomix» pour les Américains, d'autant plus drôle pour le second que le chef est en effet *macro*… *Astérix* se moque des stéréotypes, mais dit une vérité plus profonde ; par conséquent : pouvoir guerrier, impérial ou économique, à chacun son adaptation !

# UN DÉLIRE LUDIQUE SUR LES MOTS

Mais revenons au *nonsense*. Évidemment, on imagine bien que l'horrible Tullius *Détritus* ne sera pas sympathique. Pourtant, loin de fixer systématiquement le sens d'un personnage dans son nom, Goscinny a multiplié les calembours absurdes en *-ix*, *-us*, *-um*, etc. Il suffit de citer les camps romains : Aquarium, Babaorum, Laudanum et Petibonum. Il n'y a aucune règle, aucun procédé systématique ! Aquarium est un mot d'étymologie latine, mais inventé au XIXe siècle. Le laudanum est un médicament contre la diarrhée. Avec le baba au rhum et le petit bonhomme, on est dans le pur calembour ! C'est en même temps un jeu sur la culture scolaire de l'époque, à base de latin de cuisine et de citations tirées des pages roses du *Petit Larousse*. Un peu comme dans la chanson *Rosa* de

Jacques Brel, souvenir de la première déclinaison, *Rosa*, *rosa*, *rosam*… Aujourd'hui, les derniers professeurs de latin pourraient s'appuyer sur *Astérix* (et le font souvent) pour aider les élèves à comprendre l'importance de l'étymologie et des racines de notre langue. Il y a même une version latine de certains albums ! Paradoxalement, en se moquant du latin, Goscinny l'a sauvé : beaucoup de Français n'en lisent plus nulle part ailleurs que dans les planches d'*Astérix*.

Dans toutes ces créations verbales, Goscinny joue sur le langage bien plus que sur le sens. Ce qui fait rire, dans *Astérix*, c'est qu'«Ordralfabétix», avec son orthographe approximative, puisse être un prénom, non pas qu'il soit celui du poissonnier en particulier. Après tout, Goscinny écrit ses scénarios en pleine époque structuraliste… Ce rapprochement pourrait paraître un peu forcé, mais la théorie structuraliste du langage veut que le sens naisse entre les signes, entre les mots, et non dans leur rapport aux choses, à la réalité. C'est notamment ce qu'explique Gilles Deleuze dans sa *Logique du sens* (1969) : le sens (et l'humour !) sont engendrés à partir d'un délire de surface, purement verbal, comme dans *Alice aux pays des merveilles* de Lewis Carroll. Un délire ludique sur les mots pour eux-mêmes, sans référence obligée à la réalité. C'est cela aussi que les traductions ont dû tenter de retrouver : non pas seulement le sens de chaque nom isolé, mais la palette et le système d'échos de l'ensemble des noms, la ronde des mots dans le banquet du village (et du monde, car pour chaque pays visité comme pour les Romains bien sûr, cela recommence !).

> « Goscinny joue sur le langage bien plus que sur le sens. […] Après tout, il écrit en pleine époque structuraliste, et cette théorie veut que le sens naisse entre les signes, et non dans leur rapport à la réalité… »

- ● VERSION FRANÇAISE
- ● VERSION ANGLAISE
- ● VERSION ALLEMANDE

- • **Anglaigus**
- • **Squareonthehypothenus**
- • Quadratus

- • **Caius Saugrenus**
- • **Caius Preposterus**
- • Technokratus

- • **Tullius Détritus**
- • **Tortuous Convolvulus**
- • **Tullius Destructivus**

- • **Encorutilfaluquejelesus**
- • **Poisonus Fungus**
- • Unnutzus

- • **Soupalognon y Crouton**
- • **Huevos y Bacon**
- • Costa y Bravo

- • Zebigbos
- • **Mykingdomforanos**
- • Sebigbos

- • Ocatarinetabellatchitchix
- • **Boneywasawarriorwayayix**
- • Osolemirnix

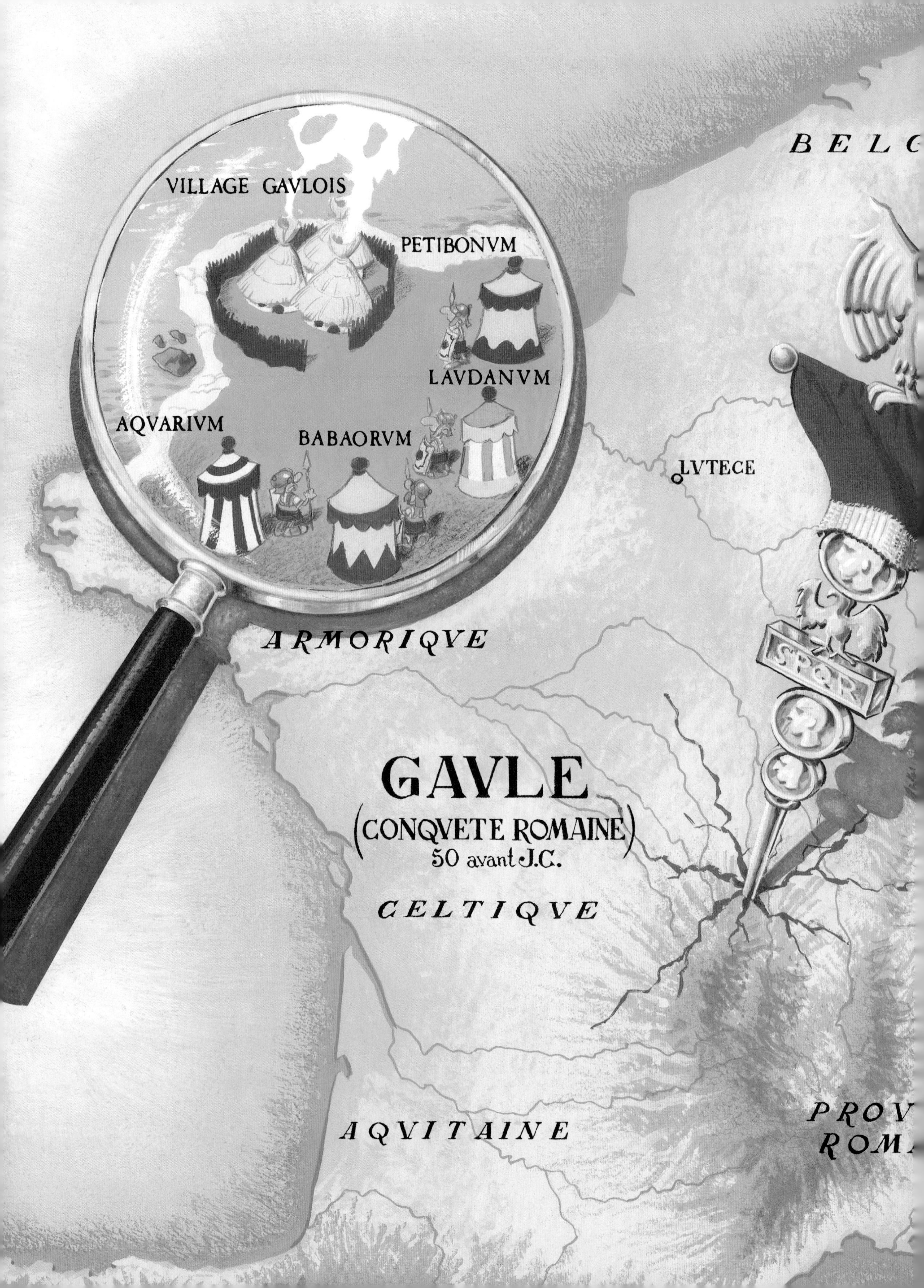

VILLAGE GAVLOIS
PETIBONVM
LAVDANVM
AQVARIVM
BABAORVM
BELG
LVTECE
ARMORIQVE
GAVLE
(CONQVETE ROMAINE)
50 avant J.C.
SPQR
CELTIQVE
AQVITAINE
PROV
ROMA

19

★ TRISTAN **GARCIA** ★

# Pourvu que ça dure

À partir de trois images des *Lauriers de César*, le philosophe Tristan Garcia montre que les héros d'*Astérix* n'aspirent qu'à figer le temps. Tous leurs combats concourent à maintenir ou à restaurer l'équilibre précaire qui leur permettra de se soustraire aux altérations du temps. Et qui tiendra leur village-refuge à l'écart du progrès. Chronique de la lutte d'un espace-temps portée par un vœu mélancolique : pourvu que tout demeure comme toujours, *hic et nunc* : ici et maintenant.

Dans *Astérix*, le dessin d'Uderzo, d'une grande lisibilité et fluidité, s'autorise rarement des audaces formelles. De ce point de vue, le début des *Lauriers de César* peut paraître une exception étonnante : après une courte présentation de Rome, la voix off de Goscinny introduit *in medias res* nos deux personnages. Astérix semble de bien mauvaise humeur et répond en grommelant « Farpaitement ! » à la question timide d'Obélix, reprenant par anticipation le futur *gimmick* comique de l'album. Le narrateur explique avec malice que les personnages savent ce qu'ils sont venus faire à Rome, alors que les lecteurs l'ignorent encore. Il propose d'effectuer un bref « retour en arrière » et d'inverser le cours du temps.

## A CONTRARIO

Par une économie géniale du trait qui n'appartient qu'à lui, Uderzo se contente de trois images pour signifier ce rembobinage : la première pour dépeindre Astérix et Obélix sur un pont, ajoutant un indice de mouvement à l'aide d'un petit caillou dans lequel le pied d'Astérix vient taper, par dépit ; la deuxième pour figer la précédente : jouant avec l'attente de l'œil, qui suppose qu'à une image doit succéder la suivante dans l'ordre logique des événements, Uderzo redessine la même

20

→

case et donne ainsi l'impression que le caillou est resté figé en l'air; la troisième image, qui aurait dû se situer avant la première, permet d'inverser le mouvement de jambes des personnages et de replacer le caillou au sol.

Winsor McCay [auteur de *Little Nemo*], Frank O. King [auteur de *Gasoline Alley*] ou, plus près de nous, Marc-Antoine Mathieu ont souvent expérimenté ce type de transformation du temps et de l'espace grâce au découpage de la bande dessinée. Uderzo n'appartient pas à cette famille d'expérimentateurs. Cette transgression devrait donc nous alerter: ce n'est pas une coquetterie habituelle de la part d'un artiste très respectueux des codes et conventions de son art, attaché au cadre, à la perspective, à l'ordre des images. Imaginons donc un instant que cette exception soit significative, et qu'elle exprime, dans une formule fulgurante de trois cases, le sens même d'*Astérix*: neutraliser les effets de l'Histoire…

# REBUS SIC STANTIBUS [1]

On le sait: un des idéaux de la bande dessinée franco-belge de l'Âge d'or aura été de donner une image du mouvement incessant, mais en faisant abstraction des effets dévasta-

---
1. Les choses demeurant en l'état.

teurs du temps. Les personnages vifs et bondissants (Tintin, Spirou, Tif et Tondu, etc.) vont et viennent à la surface du monde, mais ne vieillissent pas et échappent aux effets du devenir biologique. Ils évoluent dans un univers d'où la mort est presque toujours absente, où la sexualité n'existe plus et dont sont par conséquent exclus la génération, le changement, la corruption des êtres vivants, leur flétrissement, et le passage des années. C'est un monde quasi sans enfantement et sans enterrement, où tout bouge pourtant à la recherche de l'aventure, mais où les effets du temps ont été annulés.

Or le paradoxe d'*Astérix* est qu'il emprunte cette forme neutralisatrice du temps pour dépeindre une époque passée. Pour inverser la formule de Goscinny: les personnages l'ignorent, mais nous, lecteurs, savons bien que les Gaulois ont fini par être vaincus, nous avons connaissance de la chute de Rome, nous n'ignorons pas que Romains et Gaulois sont morts et enterrés depuis des siècles, et toute leur époque avec eux… Ce grand fleuve de l'Histoire, qui emporte les individus et les sociétés vers leur fin, *Astérix* l'arrête et le remonte. On objectera qu'on pourrait en dire autant de n'importe quelle œuvre consacrée à une époque révolue. Pourtant *Astérix* présente une particularité supplémentaire: adoptant à sa manière cet étrange déni du devenir propre à la bande dessinée franco-belge d'après-guerre, la série abstrait pour ainsi dire le temps de l'Histoire. Elle nous raconte une Histoire qui n'est pas passée, certainement pas à venir, mais pas présente non plus, et dont les multiples anachronismes, qui font tout son charme, indiquent en vérité le caractère achronique. Car les récits d'*Astérix* pourraient se succéder éternellement: jamais les

personnages ne vieilliront (si ce n'est dans la pochade du *Livre d'or*), jamais César ne sera assassiné, jamais des fils ou des filles ne naîtront de nos héros (en dépit de l'adoption tardive du *Fils d'Astérix* qui a peut-être pour cette raison choqué certains lecteurs), jamais rien ne changera. C'est ce que tout album classique d'*Astérix* nous murmure à l'oreille: pourvu que tout reste comme toujours… De la même manière que dans la première case de notre strip de référence, un premier mouvement a bien été amorcé, celui de la conquête romaine. Puis tout a été soudainement arrêté: le village résiste, les garnisons l'encerclent, les positions sont figées et l'Histoire bégaie. Dès qu'un événement perturbateur survient en début d'album, la fin du récit le désamorce et autorise un retour au même, dont le banquet est la célébration joyeuse par des personnages, des auteurs, des lecteurs soulagés d'avoir déjoué le cours implacable du temps historique.

Tout ce qui se passe dans le monde d'*Astérix* est sans conséquence. On sait par avance qu'à la dernière page les blessés des camps romains se seront relevés indemnes, que chacun aura repris sa place dans son camp, en attendant le prochain tour.

Ainsi, nous pourrions émettre l'hypothèse que le dispositif d'apparence anodine de ces trois cases par lesquelles Uderzo parvient, avec son art élégant et économe, à figer le mouvement puis à l'inverser, pour pouvoir commencer son histoire, révèle en fait la grande idée d'*Astérix*: la mise de l'Histoire en état de stase.

Par «stase» on entend dans les sciences physiques un effet d'immobilisation; en ce sens, *Astérix* nous raconte une histoire non pas statique, puisqu'il s'y passe bien des choses et que le fragile équilibre du village est toujours sur le point d'être rompu, mais

**TRISTAN GARCIA (1981-)**
Philosophe et romancier, il est l'auteur de
*Forme et Objet. Un traité des choses* (PUF,
2011), et de divers ouvrages traitant de la
souffrance animale, du temps, des images
ou des séries télévisées, dont *Six Feet
Under. Nos vies sans destin* (PUF, 2012).
Il prépare une histoire et une théorie de la
bande dessinée.

qui tend à la stase. Pour y parvenir, il est la plupart du temps nécessaire de sortir du village, de voyager, de retrouver ce qui a été perdu, de réunir ce qui a été divisé, de faire la connaissance d'étrangers qui deviennent familiers, de ridiculiser l'esprit de sérieux, d'humilier les prétentieux et de se battre, bien sûr.

Opposé au désir de retour à l'état de stase dont Astérix et Obélix sont les agents, l'Empire incarne la figure du progrès (les immeubles du *Domaine des dieux*, par exemple). Or, le progrès, on ne l'arrête pas. Rome, dont on sait par avance qu'elle est destinée à l'emporter (et à être vaincue à son tour), c'est l'Histoire en marche. Le petit village défend au contraire l'idéal de la stase historique, qui essaie de se maintenir, rien de moins, rien de plus. Ne pas s'étendre, ne pas se rétracter, rester ce que l'on est : voilà toute la morale d'*Astérix*. Et le seul bonheur auquel aspirent les Gaulois, c'est le maintien de soi.

Cette stase temporelle est aussi bien géographique : le village est le lieu statique par excellence, qui doit éviter de se diviser (comme dans *La Zizanie* ou *Le Grand Fossé*) ou de s'agrandir (comme dans *Le Domaine des dieux*). À bien y réfléchir, *Astérix* raconte la lutte d'un espace-temps gaulois contre le devenir, le vieillissement et la mort, contre le changement et le progrès, qui défend l'idéal d'une stase de soi.

Chaque aventure de nos héros n'a d'autre but que la mise en œuvre d'une solution ingénieuse pour revenir à la maison, redevenir soi-même et résister à toutes les puissances d'altération du monde. Et c'est dans ce mouvement, qui essaie d'annuler les effets dévastateurs du temps et de l'His-

toire, que Goscinny dessine ce qui est certainement son idéal d'homme : un être particulier, qui n'est pas une singularité quelconque ni l'homme universel, mais plutôt un être humain moyen, qui lutterait avec humour pour se maintenir lui-même.

# SUUM CUIQUE TRIBUERE[2]

Cet être moyen qui oppose sa particularité au monde qui voudrait lui apprendre comment se soumettre à la loi universelle (de Rome), nous l'appellerons le «pittoresque». Le grand sujet d'*Astérix*, c'est ce pittoresque illustré dans toute sa bonhomie par le trait sympathique d'Uderzo. Chaque personnage de ce petit monde tient à une qualité qui le résume et dont il se contente : il semble qu'il soit dans la nature même d'Ordralfabétix de se vexer éternellement au sujet de l'état de fraîcheur de ses poissons ; dans celle d'Assurancetourix de jouer de la lyre, de chanter faux et de finir bâillonné. *Astérix* dépeint donc des êtres réduits à un trait de leur caractère et qui, contre le temps et dans un espace limité, s'amusent et nous amusent à se battre pour ne pas être n'importe qui ni devenir comme tout le monde, mais rester particuliers.

Comparons un instant nos Gaulois avec les *Schtroumpfs* de Peyo : les petits lutins bleus sont des identités minimales, des singularités qui, au début de la série, ne se distinguent que par leur nombre. Comme les singularités leibniziennes, les Schtroumpfs sont discernables les uns des autres unique-

ment parce qu'ils occupent un lieu distinct de l'espace : seuls le Grand Schtroumpf et le Schtroumpf à lunettes sont particuliers ; les autres ne sont jamais que des singularités quelconques. Au départ, tout Schtroumpf ou presque est n'importe lequel.

Dans *Astérix*, au contraire, l'identité commence par une individuation pittoresque. Il n'existe pas de sujet pur, neutre, mais seulement des excès d'humeurs, qui définissent d'emblée chaque individu, d'Agecanonix à Cétautomatix. Sans cet excès de chacun, tous se ressembleraient, aucun ne serait plus lui-même. Aucun, donc, ne serait plus digne d'être dessiné. Car, étymologiquement, le pittoresque désigne bien ce qui est digne d'être peint ou dessiné.

Ce pittoresque en un sens savant se mêle dans *Astérix* aux types de la *commedia dell'arte*, du *slapstick* pour dessiner le caractère humain. Le cœur de l'œuvre de Goscinny

---

2 Donner à chacun ce qui lui revient.

N'AIE PAS PEUR, OBÉLIX. NOUS FERONS ENCORE UN BANQUET DANS LE VILLAGE ! SOUVIENS-TOI DE CE QUE JE TE DIS !

→ et Uderzo, c'est moins le pittoresque traditionnel des peuples (ressort comique récurrent) que le combat drôle et au fond sans issue de l'homme particulier pour atteindre son état de stase, qui est peut-être illusoire, en tout cas éphémère. Car Goscinny sait bien que le pittoresque en soi, une fois statique, se détruit : au début d'*Astérix chez les Belges*, les Gaulois s'ennuient parce que les Romains ont disparu. Souvent cette angoisse surgit dans *Astérix* : et s'il n'y avait plus de combat, plus de résistance ? Alors le pittoresque dépérirait. Il ne se maintient que dans l'adversité, et *Astérix* est un équilibre précaire, puisque la stase se mérite.

Du coup, on pourrait risquer cette interprétation très générale : *Astérix* est une image de l'humanité, qui rêverait de pouvoir neutraliser le temps et de se limiter dans l'espace à de petites communautés, afin de lutter pour défendre le caractère pittoresque des individus. Menacés de l'intérieur par l'ennui et par la zizanie, inquiétés du dehors par la puissance de neutralisation de l'universel, les particuliers pittoresques ne cherchent pas à s'éduquer ni à s'élever ; ils essaient, avec drôlerie et quelque chose d'infiniment émouvant parfois, de tenir coûte que coûte à leur petite part d'existence. Contre le monde, mais sans la moindre animosité, ils tentent de rester tant bien que mal ce qu'ils croient être.

## BIS REPETITA PLACENT

En creux, entre les lignes de ses calembours, *Astérix* est une affaire sinon sérieuse (Goscinny ne l'aurait pas accepté), du moins mélancolique : une protestation enfantine contre le temps, un réquisitoire contre l'Histoire, dont on sait que le jeune Goscinny a beaucoup souffert, exilé en Argentine durant la Guerre, perdant une partie de sa famille dans les camps. C'est peut-être le fantasme d'un havre de papier, d'un refuge pour l'œil et pour l'esprit, d'une petite communauté arc-boutée contre une force supérieure et résistant avec un air borné à l'action de ce monstre qui promet le salut et le progrès d'une main, qui donne l'épuisement et l'oubli de l'autre : le devenir.

Quoi lui opposer ? *Astérix* ne promet pas l'éternité. Seulement quelques images amusantes, des bons mots, un certain sens du particulier, une petite communauté idéale et toujours la même pirouette qui ridiculise le cours du temps. Cette pirouette, c'est notre strip de trois images qui la résume le mieux : le petit Gaulois frappe du pied dans le petit caillou, le caillou reste suspendu, et tout le pouvoir de la bande dessinée tient à cette drôle de machine à remonter les horloges et à arrêter le temps. Pourquoi ? Pour espérer secrètement dans une stase du pittoresque, arrachée à l'Histoire qui avance, à l'Empire et au progrès, aux heures qui passent, aux années qui jaunissent les pages, qui conduisent inéluctablement le lecteur que nous sommes à la mort, mais qui ramènent toujours les personnages au foyer, pour fêter avec leurs amis une victoire supplémentaire : quarante-quatre pages arrachées à l'irréversible. *

23

# EUX ET NOUS

*« Ils sont fous, ces Romains ! »*

Clichés, poncifs, stéréotypes, idées reçues et autres avatars de ce que le poète Robert Desnos nommait le *« langage cuit »* forment la trame d'un filet que nous projetons sur les autres. Et tout est dans la maille : trop épaisse, elle n'attrape rien ; trop fine, elle attrape tout. *Quid* de son usage dans *Les Aventures d'Astérix* ? Huit philosophes et écrivains européens ont commenté les tribulations des valeureux Gaulois dans leurs pays respectifs. Et, chacun le reconnaît à sa manière : le comique allié à la bienveillance est un passeport *« farpaitement »* valide pour aller vers l'autre. Et souvent vers soi-même…

✳ JULIAN **BAGGINI** ✳

# Du self-control au self-service

↓

Le philosophe anglais Julian Baggini goûte dans *Asterix in Britain*, au-delà du jeu avec
les clichés, la vision de l'idéal du peuple britannique. Si les Anglais, dit-il, sont flegmatiques,
c'est parce qu'ils sont stoïques. C'est pourquoi ils aiment la viande bouillie à la menthe,
la bière tiède et toute cette sorte de choses.

Traduit par Matthieu Simon et Jean Mouzet

24

DU SELF-CONTROL AU SELF-SERVICE
_Par Julian Baggini

**Comme toutes les grandes bandes
dessinées,** *Astérix* déborde de personnages
à la fois irréalistes et réalistes. Littéralement bidimensionnels, ils ne possèdent ni
la richesse ni la profondeur des hommes
réels. Et pourtant, justement parce que leur
personnalité est simplifiée, ils peuvent dis-
tiller des vérités sur la nature humaine avec
plus d'éloquence et de clarté que les portraits

plus subtils de la littérature sérieuse. Ce
qu'ils perdent en particularité, ils le gagnent
en universalité.

*Astérix chez les Bretons* applique ce processus d'abstraction à une nation entière : les
Anglais. Bien qu'Astérix voyage en Grande-
Bretagne, la plupart des personnages sont
très clairement anglais, et les rares Calédoniens (Écossais) et Hiberniens (Irlandais)
qui y font leur apparition se distinguent de
leurs voisins anglo-saxons, même s'ils agré-
mentent eux aussi leur eau chaude d'un
nuage de lait.

Il serait intéressant de se demander à quel
point le caractère anglais tel qu'il est croqué
là est fidèle à la réalité, d'autant que l'album

a près de cinquante ans. Mais se focaliser sur
cet aspect serait une erreur. Comme l'expli-
quaient Goscinny et Uderzo dans l'introduction de la première édition anglaise, «*nos
petites bandes dessinées ne se moquent pas du
réel, mais des idées du réel que les gens ont
dans la tête, c'est-à-dire des clichés*».

D'un point de vue philosophique, je suis
moins attaché à la justesse anthropologique
des personnages anglais de l'album qu'aux
idéaux qu'ils expriment. Leur attitude face
à la vie et leur code de conduite ne manquent ni d'attrait, ni de mérite – même s'ils
n'ont jamais eu vraiment cours en Angleterre. Peut-on juger de la perspective ainsi
offerte comme d'un idéal éthique ?

La question est particulièrement intéressante pour ceux d'entre nous qui combinent le pluralisme moderne avec les vertus de l'éthique aristotélicienne. Pour Aristote, bien vivre signifiait cultiver la vertu au quotidien. Il faut entendre par là le juste milieu dans le courage, la justice, la prudence, etc. Bien qu'Aristote semble admettre une certaine variation d'une personne à l'autre, il suppose visiblement qu'il existe un ensemble de vertus qui conduisent à un bonheur optimal.

La conception pluraliste moderne soutient qu'il doit exister plusieurs manières de mener une vie bonne. L'esprit des peuples nous en propose le modèle le plus flagrant. Dans chaque nation, la vie quotidienne repose sur des us et coutumes enracinés dans la population. Différentes vertus sont évaluées différemment dans différentes cultures. Par conséquent, lorsque vous comparez les «caractères nationaux», vous ne faites rien d'autre que comparer différents idéaux en matière de conduite de vie. *Astérix chez les Bretons* donne l'occasion d'examiner l'un de ces idéaux. La principale vertu qui apparaît dans le portrait des Anglais est leur caractère imperturbable. Quoi qu'il arrive, ils restent calmes et mesurés. La vue d'une invasion massive de la flotte romaine ne leur suggère que ce sobre commentaire: *«Bonté gracieuse! Ce spectacle est surprenant!» «Il est, n'est-il pas?…»* Après avoir été longuement brutalisé et finalement jeté à terre par la poignée de main surhumaine d'Obélix, Anticlimax [Jolitorax] s'exclame

simplement: *«Splendide! Splendide!»* Et quand Obélix est fait prisonnier par les Romains et qu'Astérix s'en désespère, Anticlimax l'exhorte: *«Courage, Astérix! Gardez votre lèvre supérieure rigide!»* Il y a peut-être quelque vérité dans ce flegme anglais: Goscinny et Uderzo ont affirmé plus tard n'avoir reçu aucune plainte de la part des Britanniques à propos de la manière dont ils avaient été représentés dans l'album, au contraire d'autres nations visitées par Astérix. L'expression «Gardez votre lèvre supérieure rigide» (*Keep a stiff upper lip*: gardez votre sang-froid) est particulièrement significative. Quand d'autres pourraient pleurer (action qui fait trembler la lèvre supérieure), l'Anglais reste de marbre. De nos jours, cependant, cette attitude est généralement mal perçue, parce qu'elle renvoie à l'ère victorienne, quand les Anglais subissaient la répression de leurs émotions. Les temps ont changé. Assez

récemment, nous avons vu des milliers de gens pleurer en pleine rue à la mort de la princesse Diana, et notre ex-grand espoir footballistique, Paul Gascoigne, fondre en larmes après avoir perdu en demi-finale de la Coupe du monde, en 1990.

# VÉRITÉ DU PLURALISME

Cependant, il y a une autre manière, plus positive, de comprendre ce sang-froid, qui consiste à l'aborder sous l'angle stoïcien. Les stoïciens croyaient que l'état de satisfaction passait nécessairement par la capacité de surmonter les hauts et les bas de l'existence, d'accepter la bonne fortune et la malchance avec la même sérénité. Il ne s'agit plus de refouler ses sentiments mais de s'exercer au bon recul par rapport aux →

DU SELF-CONTROL AU SELF-SERVICE
_Par Julian Baggini

**25**

→ vicissitudes de la vie. Ou bien nous acceptons l'imperfection et l'impermanence de la vie, ou nous nous condamnons nous-mêmes à l'insatisfaction perpétuelle. C'est un choix rationnel qui dépend de nous. Si nous nous entraînons à adopter la bonne attitude, nous n'aurons pas besoin de réprimer nos émotions négatives : nous ne les sentirons même plus.

Tel est l'idéal saisi par Rudyard Kipling dans son poème «*If*» («Si»), qui s'achève sur le célèbre vers «*Tu seras un homme, mon fils*» et implore le lecteur de «*rencontrer Triomphe après Défaite / Et recevoir ces deux menteurs d'un même front*». Ce poème, écrit en 1895, est une sorte de codification des valeurs du gentilhomme anglais, démontrant nettement que c'est le stoïcisme, et non la répression des sentiments, qui est l'idéal sous-jacent du sang-froid britannique. *Astérix chez les Bretons* en est une illustration. Nous n'y avons pas l'impression d'un peuple refoulant ses émotions. Les Anglais sont simplement imperturbables par nature – ou plutôt par culture.

Cette placidité inaltérable est bousculée à deux reprises et les Anglais se mettent alors littéralement à crier. La première, c'est quand Relax dit de ses ravisseurs romains : «*Même s'ils nous font bouillir avec de la sauce à la menthe, NOUS NE PARLERONS PAS !*» Comme si la seule chose qui vaille la peine de céder à ses émotions était la volonté de préserver à tout prix son *self-control*. Le second hurlement a lieu lors d'un match de rugby : les *supporters* encouragent leur équipe. Comme si le sport impliquait un cadre clairement délimité et contrôlé, au sein duquel les passions étaient autorisées à

déborder. Peut-être cela signale-t-il une déviation par rapport à la voie stoïcienne, une reconnaissance que la parfaite maîtrise de soi est impossible et que chaque culture a besoin d'un exutoire pour les émotions irrationnelles.

Cette sérénité paraît étrange à Astérix et Obélix, mais aussi, visiblement, appropriée et même appréciable. Leur aventure propose donc une sorte de démonstration de la vérité du pluralisme. Ce n'est pas tant qu'elle défende la légitimité de différents modes de vie : elle montre plutôt comment deux cultures peuvent avoir deux systèmes de vertus distincts et comment chacun a ses

mérites propres. Mais ce que je trouve particulièrement astucieux dans le texte de René Goscinny, c'est sa façon de contextualiser l'idiosyncrasie de ses Anglais imaginaires.

D'abord, il nous indique que l'approche stoïcienne est née d'une sorte de nécessité. Après avoir été enveloppé dans le *fog* en traversant la Manche, Astérix demande à Anticlimax : «*Il y a souvent du brouillard comme ça, chez vous ?*» «*Bonté, non ! Seulement quand il ne pleut pas.*» Manière élégante et succincte de suggérer que l'Angleterre est un morne pays, où l'on peut à peine entrevoir le soleil à travers les nuages, le brouillard et la pluie. Dans un

DU SELF-CONTROL AU SELF-SERVICE
_Par Julian Baggini

26

« Aucun modèle de vie bonne ne peut maximiser tous les biens… Vivre en privilégiant un certain type de bien implique d'en négliger d'autres »

**JULIAN BAGGINI (1968-)**
Philosophe anglais, journaliste pour la BBC et de nombreux journaux, cofondateur et éditeur de *The Philosophers' Magazine*, il est l'auteur de nombreux essais de philosophie à destination du grand public, dont *Le Cochon qui voulait être mangé et 99 autres petites histoires philosophiques* (Granta Books, 2005, non traduit en français) et *Les Vertus de la table : comment manger et penser* (Granta Books, 2014, non traduit).

pays si triste, la seule façon de rester heureux est d'accepter son destin et d'abandonner toute idée de tirer le moindre plaisir de l'environnement extérieur. Goscinny montre aussi ce que cette attitude finit par coûter. Les Anglais sont tout simplement insensibles aux plaisirs de la table, font bouillir leur viande et la servent noyée dans la sauce à la menthe (ce qui amène Obélix et un centurion romain à s'apitoyer sur le sanglier), ils boivent de la bière tiède et de l'eau chaude avec un nuage de lait. C'est la contrepartie, quand on détache son sentiment du bien-être de la situation du monde extérieur. Quoi qu'il en soit, il importe de souligner que cela relève absolument des vertus anglaises, comme si l'exercice du désintérêt pour la boisson et les mets raffinés faisait partie intégrante du projet de détachement des stoïciens.

Cela illustre cette vérité du pluralisme : aucun modèle de vie bonne ne peut maximiser tous les biens. Vivre de telle manière et privilégier un certain type de bien implique d'en négliger d'autres. Pour un Gaulois qui adore la bonne chère, en dépit de tout ce qui peut lui paraître admirable dans la ténacité anglaise, si le prix à payer pour celle-ci est l'indifférence aux plaisirs de la table, alors ce prix ne vaut pas la peine d'être payé.

Un aspect moins admirable de ces Anglais imaginaires est leur présomption de supériorité. Elle se manifeste quand Anticlimax informe ses invités gaulois que c'est le reste de l'Europe, et non pas les Britanniques, qui conduit du mauvais côté de la route, et conclut : *«Il faudra que vous changiez ça, sur le continent, quand nous aurons fini de creuser le tunnel sous le* Mare britannicum *!»* C'est d'ailleurs leur incapacité à imaginer pourquoi quelqu'un d'autre pourrait agir différemment qui rend l'invasion romaine si facile. Dès que Jules César a réalisé que les Anglais arrêtent de se battre pour prendre le thé à cinq heures et de même pendant tout le week-end, il décide simplement de ne plus se battre que dans ces moments-là. Goscinny fait même adopter à

ses personnages un langage qui reflète leur insularité, car ils parlent un français étrange qui emploie les structures grammaticales de l'anglais. Même les langues étrangères doivent se soumettre à la forme de la langue maternelle. Dans la traduction anglaise, cette plaisanterie est perdue. En compensation, les Anglais d'*Astérix* parlent une sorte de caricature du dialecte des classes supérieures, autre façon de souligner leur attitude distante.

Cependant, même cette arrogance est dépeinte avec sympathie. Elle ne s'enracine pas dans la xénophobie, mais dans une simple méconnaissance de la différence. Sans doute est-elle accrue par l'insularité, d'autant qu'à l'époque romaine, rares étaient les Britanniques grands voyageurs et cosmopolites. Les Anglais d'*Astérix* ne sont pas conscients que nombre de leurs comportements sont des idiosyncrasies, ce qui déconcerte les Gaulois – deux manières de signifier l'absence de familiarité avec la différence.

# HUMOUR PACIFICATEUR

Dévoiler cette forme archaïque d'incompréhension mutuelle est à la fois une source de comique et une façon de promouvoir le genre de compréhension mutuelle moderne dont un monde globalisé a besoin. Nous apparaissons différents mais aussi interconnectés, nous partageons des histoires communes. Comme le rappelle d'emblée le narrateur au lecteur : *«Les Bretons ressemblaient aux Gaulois et beaucoup d'entre eux étaient les descendants des tribus venues de Gaule pour s'installer en Bretagne.»* Et si le rugby est présenté comme une exportation populaire de la Bretagne en Gaule, le thé est un cadeau de la Gaule à la Bretagne.

Mais pour que cet humour pacificateur fonctionne, vous devez être prêt à rire de vous-même et ne pas vous offenser des stéréotypes moqueurs. Si l'album avait été

écrit plus récemment, je me demande si l'allusion aux excès d'alcool des Britanniques aurait paru acceptable, avec ce propriétaire de pub nommé Dipsomaniax *[la dipsomanie est une forme d'alcoolisme NDLR]*. Je ne suis pas sûr qu'on aurait toléré l'usage du cliché de l'Écossais radin, dans la scène où un propriétaire de pub répond à Astérix, Obélix et Anticlimax [Jolitorax] : *«Une coupe pour trois ? Vous êtes Calédoniens, je présume ?»*

Je crois que nous sommes devenus trop sensibles aux stéréotypes. Le comique fonctionne par abstraction de vérités simples à partir d'une réalité complexe. La philosophie opère d'une façon très similaire. Elle s'abstrait du particulier pour créer des vérités universelles. En cours de route, cependant, elle invente des concepts qui simplifient largement le monde auquel ils s'appliquent. On a raison d'être offensé quand un stéréotype dépeint un groupe en termes exclusivement négatifs, en lui attribuant des vices qui lui sont propres. Mais nous devrions être capables de reconnaître la part de vérité des stéréotypes comiques, surtout quand ils sont utilisés affectueusement, et même si ces vérités révèlent les aberrations de nos propres coutumes. *Astérix chez les Bretons* est le parfait exemple de la façon dont on peut utiliser certains stéréotypes grossiers pour adoucir les différences entre les peuples au lieu de les accentuer. Et je porterais volontiers à cette réussite un toast de bière tiède ou même de vin glacé. ✱

✶ PASCAL **CHABOT** ✶

# Waterloo,
## victoire
## franco-belge

↓

Dans la Belgique, ce non-lieu que traversent les Gaulois en échangeant des horions avec
les autochtones, il y a la bière, les frites et puis les moules, et même le petit Manneken-Pis.
Et Waterloo, où César livre bataille. À la fin, à force de partager des demis, Belges et Gaulois
se trouvent réunis. Ils fraternisent, car la Belgique, dit le philosophe belge Pascal Chabot,
est un laboratoire de paix qui guérit du narcissisme.

WATERLOO, VICTOIRE FRANCO-BELGE
_Par Pascal Chabot

CE N'EST PAS TRÈS ACCIDENTÉ CHEZ VOUS !

OUÉ, DANS CE PLAT PAYS QUI EST LE MIEN, NOUS N'AVONS QUE DES OPPIDUMS POUR UNIQUES MONTAGNES.

**PASCAL CHABOT (1973-)**
Philosophe belge chargé de cours à l'Institut des
hautes études des communications sociales
(IHECS) de Bruxelles. Il est notamment l'auteur de
*La Philosophie de Simondon* (Vrin, 2003), *Après le
progrès* (PUF, 2008) et *Global burn-out* (PUF, 2013),
qui analyse le phénomène social de l'épuisement
professionnel dû à la quête effrénée de
reconnaissance.

**Tout commence par un jugement:** de tous les peuples de la Gaule, les Belges seraient les plus braves. L'auteur de cette allégation, Jules César, a expliqué le motif de cette distinction dans sa *Guerre des Gaules*: c'est «*parce qu'ils sont les plus éloignés de la Province romaine et des raffinements de sa civilisation, parce que les marchands y vont très rarement, et, par conséquent, n'y introduisent pas ce qui est propre à amollir les cœurs*[1]», que les peuples du nord de la Seine paraissent si redoutables.

Le génie de Goscinny et d'Uderzo fut de s'emparer de cette affirmation, de la dépouiller de ses attendus historiques et de la faire entendre à Abraracourcix. Les Belges seraient les plus braves... Rien n'est plus insupportable; c'est, pour un voisin du Sud, une humiliation de l'apprendre. Il faut laver l'affront, et donc aller en Belgique. Seule la sagesse du druide aurait pu calmer l'affaire. «*Si les Belges sont braves, dit-il, tant mieux pour eux et tant pis pour César. Occupons-nous de nos affaires.*» Mais les sages ne sont pas entendus par les nationalistes névrosés. Reviennent les souvenirs de Gergovie, le bruit des tambours et des coups. La fierté outragée est le plus grand ennemi de la paix. La Belgique apparaît alors comme l'espace où soigner les blessures d'orgueil. Y déboule, furieux, le chef gaulois, impatient d'en découdre. Mais au lieu d'y trouver les grandes armées qu'il fantasmait, il rencontre une tribu disparate de guerriers sympathiques et un peu ahuris, qui vaquent à leurs deux occupations: la guérilla contre l'envahisseur et les longues ripailles. Ce concurrent si brave n'a pas les signes extérieurs du mérite militaire. Il est certes efficace, rasant les camps romains comme des sauterelles moissonnent les champs, mais manque de tenue et de rhétorique.

Dans *Si l'Europe s'éveille*, Peter Sloterdijk a vu que l'être de Bruxelles se réduisait à une fonction: calmer les patients surexcités que sont les nationalistes du continent et les faire parler ensemble, au sortir d'une guerre qui les a laissés hébétés de leur propre violence. Bruxelles, pour lui, est une «*clinique de rééducation*[2]» où l'on soigne les orgueils criminels et la culpabilité qu'ils sécrètent. Les nationalismes s'y estompent. Les fiertés se diluent dans la bureaucratie. La virilité imbécile d'une Europe malade trouve à s'émousser dans cette capitale du vide, «*mélange d'opulence et de bonhomie*[3]».

*Astérix chez les Belges* rejoue à sa façon ce parcours européen de pacification. Goscinny et Uderzo sont toutefois plus charitables que le philosophe allemand, pour qui la capitale de l'Europe ressemble à un hôpital. Les auteurs de la bande dessinée, en effet, en saisissent l'esprit. Il y a d'abord le pittoresque de la langue et ses belgicismes sonores. Il y a la table, omniprésente, qui ravit Obélix par son abondance; il y a la bière, les moules et même les frites, ici inventées. Il y a Manneken-Pis, symbole qui n'en est pas un, *ketje* de Bruxelles transformé en fontaine perpétuelle qui continue à décevoir les touristes mondiaux qui l'auraient voulu plus grand, plus imposant, mieux membré... Mais non, cette ville a pour patron un gamin qui urine, c'est dire qu'elle n'est pas la capitale de l'orgueil. La belgitude est une autodérision, une identité en creux qui se définit surtout par opposition à ce qu'elle n'est pas. Quoi de moins totalitaire que l'esprit belge? La fatigue du pouvoir et de l'esprit de sérieux s'incarne dans l'aspect risible des *dikkenek*, les «gros cous» que découvre Astérix. La belgitude est un non-lieu, une sorte de vide agréable où la liberté se bricole.

Mais tout cela ne va pas sans une sorte de chauvinisme à l'envers. Abraracourcix a si bien exporté son esprit compétitif que les chefs belges lui emboîtent le pas et se lancent, eux aussi, dans la rivalité des bravoures. L'escalade guerrière revient, tant les complexes de supériorité sont difficiles à soigner. Il faut une guerre plus grande encore que les autres, un combat magistral pour départager les belliqueux. Seul Jules César peut en donner l'occasion.

César, c'est le père. Il ne se laisse pas déranger facilement, mais quand on le somme de se battre, il s'avance avec les cohortes de ses légions. Deux trublions lui demandent d'arbitrer leur concours narcissique. Il n'en faut pas plus pour susciter en lui le désir de tous les écraser. La Belgique redevient le champ de bataille de l'Europe. «*Ça est plus du jeu, fieu, ça est la guerre*», dit Geuselambix. Les dernières planches sont magistrales. Un vent épique y souffle. Waterloo s'y rejoue, commentée par la prose hugolienne savamment subvertie. Un destin se décide, sur ce champ de bataille, qui excède les protagonistes.

César est aussi Napoléon. L'identification entre ces deux généraux n'est cependant pas menée jusqu'au bout. Car plutôt que d'être simplement défait et de ruminer par la suite sa grandeur déchue, comme Napoléon le fit après Waterloo, César a ici un rôle savoureux. Gaulois et Belges lui demandent de prononcer son verdict. Sa réponse est sans appel: «*Les plus braves, je ne sais pas! Ce que je peux vous dire, c'est que vous êtes aussi fous les uns que les autres!*» Cette sentence qui disqualifie toutes les guerres les guérira enfin. S'ouvre alors le plus breughelien des banquets. La Belgique est un laboratoire de paix, et doit le rester... ✱

1. Jules César, *La Guerre des Gaules*, Les Belles Lettres, 1994, p. 43. 2. Peter Sloterdijk, *Si l'Europe s'éveille* (1994), Mille et Une Nuits, 2003, p. 67. 3. *Ibid.*

WATERLOO, VICTOIRE FRANCO-BELGE
_Par Pascal Chabot

29

★ JÉRÔME **FERRARI** ★

# « Elle te plaît pas, ma Corse ? »

↓

Corse et écrivain, Jérôme Ferrari salue l'art avec lequel Goscinny manie les clichés sur les Corses
comme autant de bâtons de dynamite sans mettre le feu aux poudres sur l'île de Beauté…
Et analyse comment ces stéréotypes en viennent à façonner en retour la mentalité et le comportement
des insulaires.

Propos recueillis par Alexandre Lacroix

« ELLE TE PLAÎT PAS, MA CORSE ? »
_Entretien avec Jérôme Ferrari

# L'ARME
# DU CLICHÉ

« J'ai lu *Astérix en Corse* dès que j'ai appris à lire, car c'était une référence incontournable. En Corse, tout le monde l'a lu, et toujours avec bonheur, à ma connaissance – cet album ne blesse pas ceux dont il se moque, ce qui montre à quel point il est réussi. Par ailleurs, en toute objectivité, il me semble que c'est l'une des meilleures aventures d'*Astérix*. Ce qui me sidère chez Goscinny, c'est son art du cliché. Car évidemment, il n'y a rien de plus détestable qu'un cliché. Mais tout cliché contient une part de vérité, qui ne devient mensongère que parce qu'il atteint un degré de généralisation tel qu'il ne colle plus à la réalité. Lorsque je lis la plupart des articles publiés sur la Corse, je me sens agacé voire meurtri parce que je trouve que le discours dominant est truffé de stéréotypes péjoratifs. Le génie de Goscinny, qu'à vrai dire je ne parviens pas à m'expliquer rationnellement, est de parvenir à exagérer les clichés avec bienveillance. C'est un équilibre difficile à tenir, mais qui provoque le rire.

Par ailleurs, les clichés, à force d'être rebattus, ont aussi une effectivité sociale – les gens finissent par adhérer à l'image qu'on se fait d'eux, ou en tout cas ils se l'approprient et en jouent. Autrefois, pour un mensuel corse, j'ai écrit un article intitulé "Un cliché dans la gueule". J'y relevais une anecdote que je peux répéter ici, car elle me paraît encore pertinente. Quand je faisais mon service militaire, j'étais au camp de Carpiagne, près de Cassis. Nous étions un groupe d'appelés corses ; nous étions partis, la veille, d'Ajaccio. Nous nous sommes retrouvés, le premier jour, devant un instructeur qui avait un accent marseillais à couper au couteau, ce qui l'a immédiatement disqualifié aux yeux de mes camarades. Pas question de se laisser enseigner le maniement des armes par un Marseillais ! L'un de nous s'est installé, a épaulé son fusil, l'instructeur lui a dit : *"Ne tiens pas ton arme comme ça !"* Le Corse s'est contenté de hausser les épaules, considérant qu'il devait pour ainsi dire avoir génétiquement hérité de certaines compétences dans l'exercice du tir. Il a appuyé sur la gâchette et s'est ouvert la tête. Il y avait une poignée de visée assez haute et avec le recul, cela n'a pas manqué, il s'est blessé. Voilà, c'est ce que j'appelle l'effectivité du cliché : quand vous êtes corse, vous avez le devoir de surjouer la virilité, de ne pas vous en laisser conter, attitude qui peut coûter très cher. »

→

que les choses se termineront forcément dans un bain de sang, mais cette attitude est très mal interprétée. Le niveau minimum de courtoisie exigée de la part du visiteur est assez élevé.»

« ELLE TE PLAÎT PAS, MA CORSE ? »
_Entretien avec Jérôme Ferrari

32

## « TU ES SUSCEPTIBLE, TOI… »

«Ocatarinetabellatchitchix, le héros d'*Astérix en Corse*, a un modèle, un certain Mimi Pugliesi, restaurateur à Bonifacio et ami de René Goscinny. Au physique, le personnage dessiné par Albert Uderzo ressemble beaucoup à Mimi Pugliesi. Dans la scène inaugurale de la rencontre avec Obélix, on assiste à un brutal changement d'humeur: en effet, Ocatarinetabellatchitchix est d'abord hautain vis-à-vis d'Obélix, mais comme ce dernier se fâche et l'engueule, il trouve ça honorable. Avoir du caractère est, à ses yeux, digne d'estime.

Cette scène tourne autour de la susceptibilité. Est-ce parce que Goscinny passait ses vacances en Corse, et qu'il souhaitait continuer à y être bien accueilli? En tout cas, il a pris des pincettes dans cet album, puisque c'est le seul de tous les *Astérix* qui s'ouvre par un prologue, afin de ne pas froisser la population visée – les auteurs n'ont pas pris ces précautions diplomatiques vis-à-vis des Suisses ni des Espagnols… La susceptibilité, qui est en effet un trait du caractère corse, est tout de même un problème, surtout pour une région touristique. Car il est évident que les touristes ne sont pas d'une politesse folle. Tenez, je vous donne un exemple: quand quelqu'un appelle le serveur en claquant dans ses doigts, j'ai l'impression qu'à Paris, c'est globalement accepté. En Corse, non. Je ne vous dis pas

## L'AMOUR DU PAYS

«À la fin de leur traversée en bateau, Ocatarinetabellatchitchix sort un fromage corse, qui se met à empester – on le comprend au fumet vert qu'exhale le fromage. Cette couleur verte signifie toujours, dans les *Astérix*, qu'il y a une mauvaise odeur… Là encore, l'album fait fond sur une réalité culturelle: nous avons, en Corse, un des fromages les plus forts du monde, le casgiu merzu. C'est un fromage de lait de brebis, qui grouille de petits vers. Attention, pas n'importe quels vers! Il s'agit de larves de *Piophila casei*, la mouche du fromage – il faut donc que cette mouche ponde dans le fromage, mais aucune autre. Durant l'affinage, le casgiu merzu est conservé sous une espèce de cloche en osier. Quand vous vous approchez de la cloche, vous entendez une sorte de grésillement permanent, car ces

# « ELLE TE PLAÎT PAS, MA SŒUR ? »

**« Le rôle des femmes dans cet album est également intéressant.** D'abord, elles portent la robe et le foulard noirs traditionnels, et traversent les cases dans une attitude figée, hiératique. Quand Parlomba se permet d'émettre un *"oui"* en réponse à un ordre que lui donne son mari Caféolix, celui-ci commente : *"toujours belle, mais bavarde comme une pie"*. Dans une autre scène, la jeune Chipolata devient l'enjeu d'un conflit potentiel entre son frère Carferrix et un légionnaire romain. Le Corse dit au légionnaire : *"Tu as parlé à ma*

vers, qu'en Corse nous appelons les *saltuleddi*, sautent continûment et se cognent contre les parois d'osier. Non seulement ce fromage pue, mais il a un goût d'une puissance à laquelle rien de comestible ne peut se comparer. Il coûte très cher et se déguste avec du vin rouge et, si possible, des oignons frais, qui adoucissent le goût – c'est dire. Quand vous en avez mangé, il est impossible d'avoir une vie affective pendant plusieurs heures. Pire, ce fromage brûle la langue et les muqueuses, on a longtemps la bouche pâteuse. Dans l'album, les exhalaisons fétides du fromage finissent par faire exploser le bateau !

Mais ce n'est pas seulement pour cette raison que la scène de la traversée en mer me plaît. Regardez bien le visage d'Ocatarinetabellatchitchix quand il comprend que le rivage corse se trouve à proximité : il sourit. Dans le reste de l'album, il est impassible. C'est le seul moment où l'allégresse transparaît sur son visage. Cela témoigne de son goût immodéré pour son île. D'ailleurs, Ocatarinetabellatchitchix, qui d'habitude est peu loquace, devient extrêmement disert, presque poétique dans cette bulle fameuse où il évoque l'odeur de la Corse : *"Ce parfum léger et subtil, fait de thym et d'amandier, de figuier et de châtaignier…"*»

**JÉRÔME FERRARI (1968-)**
Écrivain et traducteur d'ouvrages en langue corse. Il a enseigné la philosophie au lycée international d'Alger et à Ajaccio. La plupart de ses romans ont pour cadre la Corse, notamment le choral *Dans le secret* (Actes Sud, 2007) et le *Sermon sur la chute de Rome* (Actes Sud, prix Goncourt 2012).

*parents veulent encore que j'accompagne ma sœur au marché jeudi matin. Je vais encore devoir me battre trois fois."*

Cela remonte assez loin. Au XVIIe siècle, en Corse, même pour un simple mariage populaire, le consentement des familles était parfois très difficile à obtenir. Par conséquent, une grande partie des mariages se faisait "par enlèvement". Voici comment les choses se passaient : les deux jeunes gens se donnaient rendez-vous secrètement, et la fille s'absentait du domicile paternel avec son prétendant

*sœur."* L'autre se défend : *"Elle ne m'intéresse pas, votre sœur."* Alors Carferrix se fâche encore : *"Elle te plaît pas, ma sœur ?"* C'est la situation du *double-bind* caractéristique. Dans les fêtes de village, de nombreuses bagarres débutaient ainsi. Je me rappelle qu'à l'âge de quatorze ans, j'avais suivi un groupe d'amis qui allaient à une fête, dans un village situé à une vingtaine de kilomètres du mien. Et nous nous étions fait rosser, parce que l'un de nous avait osé faire des avances à une fille de là-bas. Ils avaient une notion très collective de la responsabilité, et ce n'était pas seulement le séducteur, mais nous tous qui avions pris la raclée. La tension clanique est une évidence en Corse – et au-delà ; je crois que c'est très méditerranéen. Dans le même ordre d'idées, je me souviens que, lorsque j'étais professeur au lycée international d'Alger, un élève est venu se plaindre en riant auprès de moi : *"J'en ai assez. Mes*

pour une nuit. Ils ne faisaient pas forcément l'amour, mais, après cela, il y avait suspicion de défloration. Et il fallait attendre la réaction du père et des frères. Si tout allait bien, le mariage était accordé. Sinon, cela se finissait en règlement de comptes.

Il y avait aussi une coutume qu'on appelait l'*attacare*. Là aussi, le consentement de la belle était nécessaire : le dimanche, à la sortie de l'église, son prétendant s'approchait d'elle et lui touchait les cheveux. Symboliquement, c'était comme s'il avait fait l'amour avec elle. Du coup, la famille de la jeune fille devait consentir au mariage ou venger son honneur. Je me souviens d'avoir lu une lettre écrite au XVIIe siècle par un pauvre type, qui était en prison depuis cinq ans parce qu'il avait fait ce geste, qui aurait pu déclencher une vendetta. Voilà qui illustre la puissance de la symbolique sexuelle du cheveu ! »

34

« ELLE TE PLAÎT PAS, MA CORSE ? »
_Entretien avec Jérôme Ferrari

# IMAGINAIRE ET RÉALITÉS DE LA VENDETTA

« Quand j'étais étudiant, j'ai ouvert un dictionnaire à "vendetta" » et j'y ai trouvé la définition suivante : "coutume corse." Là, il s'agit d'une imbécillité ! Parce qu'en réalité, la vendetta n'a rien de corse, elle est le moyen de règlement des conflits utilisé dans toutes les sociétés sans État. Et c'est la logique même : lorsqu'il n'y a aucun tiers pour s'occuper de la gestion des conflits, les groupes sociaux s'en chargent. La vendetta n'existe pas seulement en Corse, mais aussi en Sardaigne, en Italie, en Afrique, en Amérique du Sud… La scène finale du magnifique livre de l'anthropologue Philippe Descola, *Les Lances du crépuscule*, le montre avec éloquence : après avoir vécu deux ans chez les Jivaros, il confesse qu'il n'en peut plus, psychologiquement, parce qu'il a vu trop de gens mourir assassinés dans des règlements de comptes. C'est d'ailleurs un argument dont se servent les cognitivistes pour démolir l'idéal rousseauiste un peu naïf, selon lequel l'être humain serait bon à l'état de nature, avant d'être corrompu par les institutions : dans les sociétés sans État, le pourcentage d'homicides est pire que dans la pire des jungles urbaines. Je crois que la mise en exergue de la vendetta comme une coutume corse est due au choc que représente l'intrusion d'un morceau de culture italique dans un pays comme la France,

étatiste et jacobin. Si la Corse était restée italienne, nous serions beaucoup moins exotiques ; nous serions probablement fondus dans un ensemble national où nous aurions à peu près le même statut que les Sardes ou les Calabrais…

Quand j'étais en maîtrise de philosophie, j'ai pris l'option sociologie et rédigé mon mémoire sur le thème "Imaginaire social et criminalité en Corse". J'avoue que j'avais, au début de ma recherche, une image romantique de la vendetta : j'avais lu *Colomba* de Prosper Mérimée, que je n'aimais pas, et même si je ne croyais pas tomber sur de belles histoires d'amour qui finissent en tragédies, ce que j'ai appris m'a dégrisé. Il faut savoir que nous avions, en Corse, une criminalité atypique. Jusqu'à la fin des années 1980, il n'y avait quasiment pas de vol – pas de cambriolage, tout le monde laissait sa maison et sa voiture ouvertes. Par contre, en ce qui concerne les crimes violents, nous étions au sommet. Pensez qu'au XVIIe siècle, alors que la population était de l'ordre d'une centaine de milliers d'habitants, il n'y avait pas moins de 700 morts violentes par an – presque une sur mille ! Il existe un très bon livre, *Vendetta et banditisme en Corse au XIXe siècle*, d'un auteur anglais, Stephen Wilson, qui traite ces questions avec objectivité. Il y relate les pires abominations. Le niveau de violence perpétrée était en général sans

rapport avec le but recherché. En Corse, vous aviez par exemple des psychopathes capables de tuer un enfant de treize ans pour hériter d'un minuscule lopin de terre. Le roman *Orphelins de Dieu* du romancier de langue corse Marco Biancarelli relate une scène réelle, qu'il a retrouvée dans des archives : un jour, deux types passent et volent deux moutons à un berger ; le berger est analphabète ; pour l'empêcher de parler, les voleurs lui coupent la langue puis le défigurent au couteau… Ces faits étaient pléthore, sur notre île. Cela a tellement marqué Stephen Wilson qu'il se demande si la vendetta est dysfonctionnelle par nature ou s'il y a une sorte de particularisme local, qui ferait que les mécanismes permettant normalement de faire revenir la paix entre les clans et les familles, même dans les sociétés sans État, auraient été abîmés ou détruits en Corse.

Dans l'album d'*Astérix*, la vendetta est traitée de manière assez distante et amusée. D'abord, elle est commise pour des raisons à la fois obscures et futiles, comme le montrent les explications embrouillées de Carferrix. Ensuite, l'album se conclut par une trouvaille géniale des auteurs : ils nous apprennent, dans une case qui représente un motel des années 1970, que la vendetta qui oppose le clan des Ocatarinetabellatchitchix et celui des Figatellix dure encore de nos jours… » ✳

★ FERNANDO **SAVATER** ★

# Astérix au Parlement européen !

↓

**Pour le philosophe espagnol Fernando Savater, l'Europe est devenue une annexe de Disneyland.
S'il préfère Tintin à Astérix, il suggère néanmoins aux membres du Parlement européen de lire
*Astérix* pour percevoir la force comique des clichés sur les peuples européens, plus manifeste
dans les planches des albums que dans les travées de l'hémicycle.**

Traduit de l'espagnol par Jean Mouzet et Vincent Pascal

**Disneyland est sans doute ce qui s'approche le plus** d'un lieu qui voudrait symboliser et réunir la diversité européenne. S'y côtoient des personnages de contes allemands comme Blanche-Neige, de contes français comme le Petit Chaperon rouge, italiens comme Pinocchio, anglais comme Peter Pan, austro-hongrois comme Bambi. Évidemment, pour qu'ils puissent se trouver ainsi réunis et se tolérer les uns les autres sans conflit, ils ont dû tous se soumettre à l'homogénéisation à la sauce américaine concoctée par la firme Disney. Peut-être n'est-ce pas très différent en son genre de ce qui s'est passé en Europe depuis la Deuxième Guerre mondiale…

À Disneyland sont réunis plusieurs personnages des contes qui ont voyagé pour vivre ensemble dans un pays créé par le *melting-pot*. De leur côté, Tintin ou Astérix voyagent également, mais c'est pour courir l'aventure dans des décors géographiques et sociaux différents. Dans le cas de Tintin, ses voyages amènent le héros à explorer le monde entier, et même au-delà lorsqu'il marche sur la Lune, tandis qu'Astérix s'en tient au continent européen, sauf en de →

ASTÉRIX AU PARLEMENT EUROPÉEN!
_Par Fernando Savater

« Astérix serait plus à son aise aujourd'hui que Tintin au Parlement européen »

**FERNANDO SAVATER (1947-)**
Philosophe espagnol. Il collabore au quotidien *El País* depuis sa création en 1976. Essayiste prolifique et progressiste influencé par les Lumières, il mise sur la liberté, l'éthique et l'éducation pour affronter les enjeux d'aujourd'hui, notamment le terrorisme au Pays basque, dont il est originaire. Parmi ses livres traduits en français : *Éthique à l'usage de mon fils* (Seuil 1994) et *Penser sa vie. Une introduction à la philosophie* (Seuil, 1999, rééd. Points Essais, 2009).

→ rares occasions. Dans un cas comme dans l'autre, les pays visités par les héros prennent un tour convenu et réducteur, une espèce de célébration plutôt inoffensive des lieux communs qui caractérisent communément les natifs de chaque contrée. Mais chacun d'eux emprunte en sens contraire le chemin du cliché. Dans ses premières aventures, Tintin (qui voyage alors en tant que reporter et non comme aventurier sans autre profession qu'aider son prochain, nuance importante) se meut dans un paysage humain stéréotypé, dans lequel ne prédominent pas encore les lieux communs, mais carrément les préjugés politiques et raciaux (ce qui a rendu problématiques, avec le temps et l'évolution des mentalités, des albums comme *Tintin au Congo* ou *Tintin au pays des Soviets*). Mais progressivement, chaque nouvel épisode s'éloigne des stéréotypes pour mettre en relief des profils plus personnalisés et individualiser les relations humaines, positives

ou négatives, que Tintin entretient avec eux, tandis que les circonstances locales deviennent une pure et simple toile de fond. Au contraire, Astérix reste arrimé à une sociologie caricaturale, fidèle aux «types nationaux», sur un rythme choral laissant peu de marge aux personnages individuels pour briser la norme collective, d'ailleurs toujours souriante. Tintin devient cosmopolite, Astérix est toujours ingénu et béatement chauvin, environné de divers chauvinismes. Les vignettes de son voyage en Hispanie en sont un bon exemple, centrées comme on pouvait le prévoir sur des allusions aux corridas, aux sites touristiques estivaux et à leurs tarifs, au mythe de la fierté espagnole et à la susceptibilité de la race, etc.

Je ne vais pas insister ici sur la différence de niveau entre Tintin et Astérix : il suffit de dire que c'est celle qui sépare une œuvre d'art d'un aimable divertissement. Mais il me semble bon d'indiquer qu'Astérix serait plus à son aise que Tintin aujourd'hui au

Parlement européen. L'Europe des Anglais fiers de l'être du UKIP [*United Kingdom Independence Party*, NDLR], des *Français de souche*[1] de Marine Le Pen, des Écossais, des Catalans ou des Basques qui éprouvent le besoin de souligner leur différence irréductible, en transformant pour ce faire en étrangers dans leur propre pays tous ceux qui ne s'y identifient pas… ressemble à l'Europe d'*Astérix*, mais sans le sens de l'humour.

Quel dommage que les mauvais politiques ne lisent pas de bandes dessinées et ignorent ainsi que les «types nationaux» et les «stéréotypes sociaux» sont de simples personnages de fiction, comme Obélix, le capitaine Haddock ou Mickey Mouse ! ✱

---

1. En français dans le texte.

⟨ LARS **SVENDSEN** ⟩

↓

Aux Vikings d'*Astérix et les Normands*, note le philosophe norvégien Lars Svendsen, il manque
ce qui nous distingue des animaux : le langage symbolique et son corollaire,
l'accès aux émotions, dont la peur – et la possibilité du courage. Même pas peur,
les grandes brutes blondes d'*Astérix* ? Même pas d'imagination, non plus !

Traduit de l'anglais par Jean Mouzet et Vincent Pascal

# Guerriers sans peur et sans symboles

L'album s'intitule *Astérix et les
Normands,* mais j'en parlerai comme d'*Astérix et les Vikings*. Non seulement parce que je
connais l'album sous ce titre, du fait de la
traduction norvégienne que j'ai lue, enfant,
mais aussi parce que les barbares qui débarquent des vaisseaux vikings viennent *«des
contrées du Nord, où les hivers sont rudes et
où les nuits durent des mois»*…
L'intrigue de l'album est assez simple :
Vitalstatistix [Abraracourcix dans la version
française] reçoit une lettre de son frère, →

**LARS SVENDSEN (1970-)**
Philosophe norvégien, professeur à l'université de Bergen. Ont été publiés en France sa *Petite Philosophie de l'ennui* (Fayard, 2003, rééd. Livre de Poche, 2006), et *Le Travail: gagner sa vie, à quel prix?* (Autrement, 2013). Dans ses essais, il fait dialoguer les philosophes classiques avec le monde actuel.

GUERRIERS SANS PEUR ET SANS SYMBOLES
_Par Lars Svendsen

## 38

→ Doublehelix [Océanonix], qui lui demande de l'aide pour faire de son fils Justforkix [Goudurix] un homme. L'arrogant citadin Justforkix ne tarde pas à être las de la vie dans le village gaulois. Mais bientôt débarque un navire viking, et Justforkix devient l'illustration même de cette formule de Philip Larkin dans son poème *Dockery and Son* (1964): «*La vie est d'abord ennui, puis peur.*» Les Vikings ne sont pas lancés dans l'une de leurs habituelles expéditions de rapine mais en quête de savoir. Ils veulent déterminer la nature de la peur, eux qui, en étant absolument dépourvus, ne comprennent pas le phénomène et encore moins son concept. Cela leur pose des problèmes considérables, car les enfants vikings, ignorant la peur, n'éprouvent aucun respect pour leurs parents ni aucune crainte pour les autorités. Les Vikings conduisent leurs chars d'une manière complètement irresponsable qui provoque de nombreux accidents. Autre problème: ils sont incapables de se guérir du hoquet. Mais c'est la perspective d'apprendre à voler qui les fascine plus que tout car ils ont entendu dire que «la peur donne des ailes». Malheureusement, Astérix, Obélix et le reste du village gaulois ignorent autant la peur, de sorte qu'ils ne peuvent rien leur enseigner à ce sujet. Il y a une exception à cette unanimité: leur visiteur, Justforkix, est saisi de terreur à la vue des Vikings, et veut immédiatement rentrer à Paris. Les Vikings entendent parler de cet «*expert en peur*», le capturent et

tentent de le contraindre à leur apprendre le sens de la peur en les effrayant. Évidemment, il échoue. Ils lui demandent alors de leur décrire ce qu'il ressent, et il répond: «*J'ai des sueurs froides, la tête flottante, l'estomac noué…*» Le fils du chef viking conclut que la peur, c'est la grippe, mais son interprétation est rejetée par son père puisque la grippe n'a jamais fait voler personne. Ce n'est qu'à l'arrivée de Cacofonix [Assurancetourix], qui se met à jouer de la harpe et à chanter, que les Vikings apprennent la nature de la peur. Ils sont tétanisés par ce bruit épouvantable (semant peut-être le germe de la vague norvégienne de black métal qui déferlera deux mille ans plus tard). La simple perspective d'entendre à nouveau chose semblable leur est insupportable. Puis ils apprennent encore que la peur ne fait pas littéralement voler. Malheureusement, ils n'ont que trop bien appris à connaître la peur, et presque tout les terrorise désormais. Justforkix, de son côté, a appris à faire preuve de courage au contact

des Vikings, et c'est désormais un homme neuf et meilleur qui rentre chez lui.

Voilà pour l'intrigue. Que nous enseigne cette histoire? On y trouve deux thèmes principaux: la peur et la nature du langage, et ces deux thèmes sont en définitive intimement liés. Dans l'album, les Vikings n'ont quasiment aucune compréhension de l'usage figuré du langage. Pour eux, il semble qu'il n'ait aucune signification en dehors de son sens strictement littéral. Leur usage du langage est si rudimentaire que celui-ci ne peut transmettre que les messages les plus directs et les plus simples. On pourrait dire que leur langage signale une absence d'imagination. Que la peur n'ait aucune place dans la vie de

> **« Heidegger affirme que seuls les êtres capables de s'identifier à d'autres êtres peuvent ressentir la peur, ce qui implique que la peur devienne l'apanage de l'existence humaine… »**

quelque spéculation, que le choc esthétique à l'écoute du bruit épouvantable de Cacophonix ouvre aux Vikings les portes du royaume imaginaire et symbolique que leur interdisait leur langage rudimentaire, strictement littéral. Et dès que ce royaume leur est ouvert, ils se trouvent bouleversés par ces émotions pour lesquelles ils n'ont encore développé aucun langage.

Cet album rend-il compte de la manière exacte dont les Vikings utilisaient réellement leur langage ? Évidemment non ! L'une des principales raisons qui rendent les anciens écrivains du Nord si éprouvants pour leurs lecteurs modernes est leur usage intensif des *kennings*, ces circonlocutions d'une complexité ahurissante, dont l'interprétation nécessite souvent une connaissance intensive de la mythologie nordique. L'absence de peur est un idéal de l'ancienne littérature nordique, mais ne l'est que parce que les hommes du Nord ne connaissaient justement que trop bien la peur. Le but de cet album n'était pas de livrer la vérité historique des Vikings. Après tout, l'intrigue elle-même repose sur un énorme anachronisme, avec ces Normands à l'époque de César, alors que les Vikings n'ont envahi le nord de la France, donnant leur nom à la Normandie, qu'un millénaire après l'assassinat de César. Mais cela ne concerne plus la philosophie. ✳

ces Vikings ne tient pas à leur *«émotion indigne et médiocre»*, pour citer Roland Barthes, mais plutôt à ce qu'ils manquent des ressources imaginaires pour l'éprouver.

Ce n'est pas d'abord et surtout la physiologie qui distingue la peur humaine de ce que connaissent les autres animaux, mais plutôt ce qui est capable de stimuler notre peur. Nos dispositions cognitives, linguistiques et symboliques nous assurent un registre d'émotions possibles complètement différent. *«Il est clair,* écrit Aristote, *que les choses que nous craignons sont des choses redoutables, et ces choses-là, pour le dire simplement, sont des maux; c'est pourquoi on définit la crainte comme une attente d'un mal. Quoi qu'il en soit, nous ressentons la crainte à l'égard de tous les maux, comme le mépris, la pauvreté, la maladie, la solitude, la mort.»* Tout ce que mentionne Aristote est difficilement redouté par toute autre créature que l'homme. La peur humaine pourrait donc différer essentiellement de ce que l'on trouve chez d'autres animaux. Martin Heidegger radicalise cette idée à l'extrême lorsqu'il affirme que seuls les êtres capables de s'identifier à d'autres êtres peuvent ressentir la peur, ce qui implique que la peur devienne l'apanage de l'existence humaine.

La définition aristotélicienne de l'homme est *zôon logon echon.* Ce qu'on traduit souvent par: «animal rationnel», mais qui peut aussi être rendu par «vie possédant le langage». L'homme dispose de ressources linguistiques et symboliques que l'animal ne possède pas. Au contraire des animaux inférieurs, il est capable de concevoir des symboles et de s'en servir pour communiquer. La capacité à concevoir des symboles nous permet un certain degré d'indépendance dans notre

relation au monde, puisque nous pouvons remplacer des objets par leurs symboles. Ernst Cassirer écrit: *«L'homme ne peut échapper à son propre exploit. Il ne peut qu'adopter les conditions de sa propre vie. L'homme ne vit plus dans un univers physique, mais dans un univers symbolique. Le langage, le mythe, l'art et la religion font partie de cet univers. Ils sont les fils qui tissent la trame symbolique, le réseau enchevêtré de l'expérience humaine… L'homme vit plutôt dans les émotions imaginaires, les espoirs et les peurs, les illusions et désillusions, ses fantasmes et ses rêves.»* Les hommes peuvent redouter presque tout. J'avance, non sans

GUERRIERS SANS PEUR ET SANS SYMBOLES
_Par Lars Svendsen

**39**

★ NICOLAS **TAVAGLIONE** ★

# Traits propres à la Suisse

↓

Neutre, propre et pastorale : l'Helvétie de caricature d'*Astérix* ressemble trait pour trait aux fantasmes identitaires en vogue dans la Suisse contemporaine, selon le philosophe suisse Nicolas Tavaglione, qui voit dans cette idéologie l'*« élévation du folklore au rang de philosophie politique »*. Ou comment un discours populiste et xénophobe aujourd'hui fait écho aux vignettes d'une Helvétie de comédie. Sans rire.

TRAITS PROPRES À LA SUISSE
_Par Nicolas Tavaglione

40

Tout y est : les montagnes et les lacs, l'exactitude horlogère, la neutralité, la *« vocation humanitaire »*, le fromage, le secret bancaire et la propreté légendaire qui touche à l'obsession. Pastorale, paisible et méticuleuse, l'Helvétie d'Astérix ressemble à s'y méprendre aux fantasmes identitaires des nationalistes en vogue dans la Suisse contemporaine : *« Tout est harmonie chez nous »*, dit très bien un Helvète. Les Romains sont certes partis depuis longtemps et les xénophobes de l'Union démocratique du centre ne craignent plus l'impérialisme militaire. Ils regardent aujourd'hui avec méfiance Bruxelles et Strasbourg ; et ils agitent le spectre des *« juges étrangers »* de la Cour européenne des droits de l'homme. Ils redoutent

**NICOLAS TAVAGLIONE**
Philosophe et politologue suisse,
il est maître-assistant au département
de science politique de l'université
de Genève. Ses travaux portent sur
le libéralisme politique, l'éthique
de la guerre et la philosophie politique
de la santé. Il a publié *Le Dilemme
du soldat. Guerre juste et prohibition
du meurtre* (Labor et Fides, 2005) et
*Gare au gorille. Plaidoyer pour l'État
de droit* (Labor et Fides, 2010).

aubergistes et protégés, même de mauvaise grâce, par des banquiers au cœur tendre. Pour un Helvète, les *Aventures d'Astérix* sur les rives du Léman sont donc troublantes. Elles font écho à des mythologies nationales que seule la droite (dure) prend encore au sérieux – à part pour le fromage et la «*vocation humanitaire*». Mais elles mettent en scène une hospitalité politique que la même droite dure sape avec un esprit de méthode et

une régularité dignes de la plus haute tradition horlogère. L'Helvétie d'*Astérix*, c'est donc la Suisse sans être la Suisse.

Cette correspondance étroite entre le «caractère national» des Helvètes de Goscinny et l'identité nationale revendiquée par les tribuns populistes de l'extrême droite suisse, cependant, nous donne peut-être une leçon pertinente. Car elle alimente ce soupçon salutaire : y a-t-il autre chose, dans les rodomontades nationalistes, qu'une élévation du folklore au rang de philosophie politique ? La substance folklorique de l'identité nationale tient enfermée dans les quarante-huit pages d'un album illustré. Et on constate qu'est ainsi résumé l'essentiel d'un idéal

politique qui, avec les variations locales de rigueur, menace chaque année davantage de submerger l'Europe. Tel est d'ailleurs l'un des plus croustillants paradoxes de l'extrême droite : braquée sur les spécificités nationales, elle ne fait que traduire une tendance continentale. Rien de plus commun, somme toute, que monter en épingle sa différence – rien de plus international que la crispation nationale.

Mais peut-être, au fond, forcé-je le trait. Et si les Helvètes d'*Astérix* ressemblaient vraiment, non pas seulement aux vains songes xénophobes, mais aux Suisses d'aujourd'hui ? Après tout, le secret bancaire et le culte du «propre en ordre» («*Marchez l'air dégagé et bien nourri, vous passerez inaperçus*», dit l'aubergiste aux deux Gaulois) ont des effets réels. Le ministre fédéral de l'économie peut ainsi se permettre – chose à peine concevable en France – de défendre l'optimisation fiscale comme une tradition nationale. Accusé de pratiques douteuses lorsqu'il n'était encore que chef d'entreprise, l'homme s'en sortira certainement sans grand dommage. Et la plupart des parlementaires n'y voient rien à redire. Bref, le secret bancaire et ses vertus supposées sont une réalité – qui fonctionne presque comme une «phobie administrative» à l'envers : c'est l'État lui-même qui en est affecté.

Quant au culte du «propre en ordre» – cette discrétion ordonnée qui passe pour une des formes du civisme helvétique –, les Suisses francophones en ont récemment fait les frais. Un journal germanophone, proche de la droite xénophobe dont il était question plus haut, les traitait en 2012 de «*Grecs de la Suisse*» : désordonnés, peu travailleurs, plus endettés que leurs compatriotes de Suisse alémanique. Bref, pas assez «propres en ordre». Et comme le dira deux ans plus tard Christoph Blocher, le milliardaire zurichois qui dirige l'Union démocratique du centre, pas assez «patriotes». L'élégance, dans *Astérix chez les Helvètes*, n'est pas une vertu nationale.

Cette réflexion embryonnaire, au final, ne suggère qu'une conclusion. Quelle que soit la vérité des clichés nationaux, ils peuvent faire de bonnes bandes dessinées. Mais ils font certainement de bien pauvres programmes politiques. ✱

les mêmes «*métèques*» que le Front national – ces perdants de la mondialisation échoués dans nos riantes campagnes et menaçant de ruiner les vertus nationales. Ils se fâchent également contre les travailleurs frontaliers, accusés comme partout de tirer les salaires vers le bas. Il n'est pas sûr qu'aujourd'hui Astérix et Obélix, ces encombrants Gaulois, soient accueillis avec autant de bonhomie, soustraits aux forces de l'ordre par d'aimables

↓

Le philosophe allemand Rainer Forst se penche sur l'album d'*Astérix et les Goths*, paru
deux ans après l'érection du mur de Berlin, et salue le raffinement dialectique d'Uderzo et Goscinny
dans leur peinture du belliqueux peuple Goth, à la fois anarchique et discipliné.

Traduit de l'allemand par Olivier Mannoni

42

* RAINER **FORST** *

# Les guerres
## des
# Goths

**RAINER FORST (1964-)**
Philosophe allemand, professeur de philosophie politique à l'université de Francfort-
sur-le-Main. Ses recherches portent sur le pragmatisme, la tolérance et la justice
sociale et politique. Il est l'auteur de plusieurs essais (non traduits), présentant
notamment une réflexion de *« philosophie politique au-delà du libéralisme et
du communautarisme »* ainsi que des *« éléments pour une théorie constructiviste
de la justice »*.

**Les aventures d'Astérix et Obélix**
n'ont pas seulement été pour moi et pour
beaucoup d'autres, dans ma jeunesse, les
seuls témoignages sur le monde antique
qui nous aient totalement captivés (on ne
pouvait pas en dire autant de nos cours au
lycée). C'étaient en outre de merveilleux
voyages temporels et spatiaux dans des
pays lointains, et l'on y apprenait toujours quelque chose sur les particularités des
autres : les Gaulois et leur nez, les Égyptiens

« Parfaite illustration du caractère autoritaire diagnostiqué par l'École de Francfort, le Goth a une pensée hiérarchique, est obsédé par l'autorité et a un penchant pour la brutalité collective »

et leur architecture, les Britanniques et leur goût pour l'eau chaude, les Espagnols et leur tempérament, les Suisses et leur fondue – et bien entendu, les Romains, qui avaient édifié un empire mondial sans que l'on sache précisément comment ces gens-là avaient été en mesure de le faire. Les auteurs parvenaient en outre à si bien imbriquer l'histoire et l'actualité que l'on reconnaissait d'emblée les pays décrits – et on nous y servait nos propres préjugés aussi bien que ceux des autres.

Deux albums avant le grand récit du tour de Gaule, Uderzo et Goscinny s'attaquent donc aux Goths. Que pouvait-on attendre de la description de ce peuple sauvage qui allait un jour détruire l'Empire romain ? On nous les présente aussitôt comme des barbares (les Gaulois les voient également ainsi), et leur première apparition est mémorable : des gaillards puissants et moustachus, et un chef portant le nom caractéristique de Rhetorik[1] qui, avec une parfaite clarté analytique, explique à ses hommes le projet d'enlèvement du druide, avant de faire entonner un vivat à la gloire «*des Wisigoths, des Ostrogoths et des Goths tout court*», si bien que la petite troupe, emportée par sa liesse, manque trahir sa présence. Lorsque l'album paraît, en 1963, le mur de Berlin n'a que deux ans, mais la séparation entre Est et Ouest est constamment présente dans cet épisode, par exemple lorsque les ravisseurs, une fois leur mission accomplie, sont arrêtés à la frontière, de manière difficilement compréhensible, par un Ostrogoth (alors qu'il devrait en réalité s'agir d'un Wisigoth).

Les Goths que nous y rencontrons ne sont pas des gaillards sympathiques. Ils sont frustes, bruyants, se déplacent systématiquement au pas en entonnant des chants de marche, portent les cheveux très courts sous leur casque et poursuivent toujours des visées belliqueuses. Leur chef, qui porte le beau nom de Cholerik[2], est un meneur brutal avec lequel on ne plaisante

pas. Il n'est cependant pas des plus malins, puisqu'il se laisse berner par Panoramix. Qui d'autre accéderait à la requête d'un druide qui, depuis son cachot, demande le droit de préparer une dernière soupe ?

Au total, la personnalité du Goth semble la parfaite illustration de ce caractère autoritaire que diagnostiquait l'École de Francfort réunie autour d'Erich Fromm et de Theodor W. Adorno : sa pensée est hiérarchique, il est obsédé par l'autorité et a un penchant pour la brutalité collective. Tout comme le nouveau chef, Cloridric, qui démet son prédécesseur grâce à la potion magique et est immédiatement adoubé par une foule en proie à une liesse frénétique. Ensuite, chacun de ceux qui entrent en contact avec la potion magique veut aussitôt devenir chef politique et militaire. Ainsi débute le déclin des Goths qui – souvenir du découpage de l'Allemagne en une foule de petits États – s'épuisent dans d'interminables guerres où tous se battent contre tous (les «*guerres astérixiennes*» récapitulées à la fin d'*Astérix et les Goths*).

# ANARCHISME CACHÉ

Mais il faut, à ce point, s'arrêter un instant. Le raffinement dialectique renverse en effet du tout au tout, ici, le tableau que l'on donne des Goths. Que signifie, en effet, pour un peuple et son ordre hiérarchique, le fait que quiconque en a l'occasion s'efforce de faire tomber le gouvernement – jusqu'au balayeur de rues, qui se proclame «*général Electric*»? Cela veut dire que la marmite bouillonne sous ce couvercle militaire et que toute équipe dirigeante est précaire et menacée. Ainsi se révèle chez les Goths, sous la surface d'un autoritarisme apparent, un trait anarchique : le pouvoir du moment n'est jamais reconnu aveuglément, il n'est jamais qu'un instrument et l'on accepte de le mettre en péril ou de le renverser lorsque cela peut

servir des fins spécifiques. Le souhait universel d'être soi-même un chef se transforme ainsi en impossibilité d'avoir des chefs durables, ce qui débouche sur le chaos. Les Gaulois utilisent habilement cet anarchisme caché en dispensant de la potion magique – ce qui, dans le cas contraire, serait très dangereux.

Ce trait anarchique donne aux Goths un trait un peu plus sympathique, mais pas moins brutal. La légèreté du traitement que l'on donne de cette guerre civile généralisée, à laquelle même les liens de famille ne résistent pas, fait apparaître, au cœur de la violence, l'humanité des Goths. Peut-être, après tout, veulent-ils juste être libres et ne l'ont-ils pas encore compris. Peut-être ne veulent-ils pas de cet ordre militaire dans lequel ils vivent. Peut-être aimeraient-ils simplement faire mijoter une bonne soupe, eux aussi, et laisser les armes se reposer ?

Aussi rugueuse que soit l'écorce, et chez quelque peuple que ce soit, il existe un noyau tendre et humain. Il apparaît parfois par le biais de la compassion, mais aussi, parfois, par celui de faiblesses et d'un désarroi typiquement humains. Le chaos que les Goths créent les uns chez les autres en fait des hommes. Et s'ils se comprenaient bien eux-mêmes, ils découvriraient un jour que ce qu'ils veulent dans leur vie, c'est la liberté. ✱

1. Dans la version allemande. En français, le chef de la bande des ravisseurs s'appelle, plus concrètement, Coudetric (N. d. T.). 2. Dans la version allemande. En français, leur chef s'appelle, plus aériennement, Téléféric (N. d. T.).

⁎ STEFANO **ADAMO** ⁎

# Deux civilisations à contresens

↓

Pour les Gaulois et les peuples voisins à la société encore archaïque, il n'y a au fond qu'une nation ennemie, celle de César : un monde foncièrement étranger, hiérarchisé, militarisé. Un empire moderne qui parle une langue morte ! L'universitaire italien Stefano Adamo analyse ce monde étrange où les Romains parlent un français émaillé de maximes latines qu'ils comprennent mal eux-mêmes.

Propos recueillis et traduits par Chiara Pastorini

**Dans la première planche d'Asté-rix le Gaulois,** un soldat romain encore abasourdi par les coups qu'il a reçus soupire d'un air abattu et s'exclame : «*Vae Victis !*» [«Malheur aux vaincus !»]. Étonnamment, son copain se tourne vers le reste de la troupe et demande : «*Qu'est-ce qu'y dit ?*» Dans la légende qui accom-pagne la case, on lit : «*Nous vous le disons : les Romains y perdent leur latin !*» À première vue, la légende joue simple-ment sur une expression proverbiale propre au français, qui signifie «ne plus rien comprendre». À la lumière de toute la saga, cependant, ce jeu de mots innocent sur les Romains qui perdent leur latin s'avère être une clé pour comprendre l'en-semble de la représentation du monde romain dans *Astérix*. Un monde qui, comme le langage perdu des soldats, reste étranger à tous les personnages.

Tout le monde sait que les Romains dans *Astérix* jouent le rôle d'éternelles victimes. Dans beaucoup d'aventures, l'intrigue se concentre sur une tentative de conquête du village gaulois imprenable par Jules César, qui, à la fin de l'épisode, est inévi-tablement amené à constater son échec. Ce qui est moins évident, c'est le fil rouge qui relie les bizarres stratégies de conquête déployées par l'Empire. Malgré la présence des quatre garnisons autour du village, avec leur soldatesque grotesque et résignée, l'Empire n'arrive à devenir dange-reux qu'en trois occasions : quand il décide d'urbaniser la zone autour du village *(Le Domaine des dieux)* ; quand il invente le marché du menhir et donne ainsi nais-sance à une petite industrie capitaliste *(Obélix et Compagnie)* ; et quand il glisse dans le village un sinistre provocateur qui, en jouant sur l'amour-propre des uns et

des autres, déstabilise l'équilibre du groupe entier *(La Zizanie)*. L'urbanisation, le capitalisme, l'individualisme. Lorsque l'Empire veut devenir dangereux, l'arme qu'il utilise est la modernité.

# ROME ET NEW YORK

L'Empire romain dans *Astérix* est une entité étrangère et envahissante qui coïncide en grande partie avec le monde moderne. Gaulois, Bretons, Ibères, Germains et Corses vivent pour la plupart dans des villages. Lutèce est un ensemble de cabanes aux toits en bois, parmi lesquelles se distingue un seul bâtiment de brique au bord de l'île de la Cité. Athènes possède quelques monuments, mais la ville est dessinée comme un labyrinthe de ruelles étroites qui rappellent plutôt les stations balnéaires de la mer Égée. Les Égyptiens ont de magnifiques bâtiments, mais réservés à Cléopâtre et à sa cour. Londinium se distingue par ses chars à deux étages, mais les rues qu'ils empruntent sont toujours en terre battue et les maisons ont un toit de chaume. Rome a, en revanche, une grandeur incomparable. Avec son marbre brillant et sa population bourgeoise, la Rome d'*Astérix* ressemble à New York au XXᵉ siècle, une métropole hors d'échelle et sans aucun terme de comparaison. La capitale de l'Empire héberge des touristes, des mendiants, des militants ; dans son périmètre il y a même une zone à trafic limité. L'armée romaine, bien sûr, est souvent ridiculisée, mais elle est aussi la seule armée de métier dans le monde d'*Astérix*,

et la seule à inclure des étrangers. Tandis que les communautés des différentes populations européennes ont tendance à être égalitaires, à l'exception des chefs et des prêtres, la société romaine est stratifiée en classes qui renvoient, bien que vaguement, à la structure des sociétés modernes. Les petits boulots, par exemple, sont souvent réalisés par des Africains. Les liens familiaux sont fragiles ; les enfants rebelles ou dissolus ; parmi les dépenses du ménage trouvent leur place le luxe et le divertissement. L'économie de Rome encourage le consumérisme, quand dans le reste du monde l'emporte la subsistance.

Que l'Empire romain est un corps étranger dans le monde d'*Astérix* est souligné en outre par l'usage du latin. Dans *Astérix*, le latin sonne livresque et obsolète. C'est une langue de maximes et de proverbes qui résonnent bizarrement au milieu des dialogues vivants et spontanés des autres langues. De plus, le latin est traité comme une langue écrite, avec toutes ces inscriptions sur les monuments, ces lois et ces règlements gravés dans la pierre. Les autres langues, au contraire, sont presque exclusivement parlées. Le latin, par ailleurs, est une langue que personne ne parle. Les Romains dans *Astérix* parlent le français standard, sans aucune des caractérisations

qui affectent les autres langues et dialectes, qu'elles soient phonétiques, syntaxiques, graphiques ou autres. Des phrases latines célèbres, comme «*Alea jacta est*» et «*Veni, vidi, vici*», sont toujours utilisées hors de leur contexte naturel *(Le Tour de Gaule d'Astérix)* ; certaines propositions sont nettement anachroniques, comme «*Cogito ergo sum*» *(Astérix légionnaire)* et «*Vade retro*» *(La Serpe d'or)*. Contrairement à d'autres anachronismes qui apparaissent dans la série, ceux-là ne créent pas un sentiment de familiarité entre le passé et le présent, mais consolident le caractère distant et pédant d'une langue qui est à la fois une marque de prestige social et la langue des collaborateurs comme le chef Aplusbégalix.

Si l'on considère que la série a été créée au moment où l'Europe perd son rôle mondial, ces observations suggèrent qu'*Astérix* est une épopée héroïcomique de la résistance culturelle et de la préservation de l'identité dans laquelle non seulement les Français, mais aussi les non-Français, peuvent se reconnaître. L'opposition culturelle la plus profonde de la série ne se joue pas entre la Gaule et les nations voisines mais entre, d'un côté, toutes les nations, Gaule comprise, et de l'autre la civilisation romaine. D'où son succès. ✱

**STEFANO ADAMO**
Chercheur italien, il enseigne au département de philologie de l'université de Banja Luka (Bosnie-Herzégovine). Ses recherches portent sur la culture italienne, le cinéma, ainsi que l'histoire et la représentation littéraire des phénomènes économiques. Il a notamment publié un article sur Astérix intitulé *« The Parody of Cultural and Linguistic Stereotypes in Astérix: A Scherzo in Semiotics »*.

« Il semble que la diversité des cultures soit rarement apparue aux hommes pour ce qu'elle est : un phénomène naturel, résultant des rapports directs ou indirects entre les sociétés ; ils y ont plutôt vu une sorte de monstruosité ou de scandale [...]. "Habitudes de sauvages", "cela n'est pas de chez nous", "on ne devrait pas permettre cela", etc., autant de réactions grossières qui traduisent le même frisson, cette même répulsion, en présence de manières de vivre, de croire ou de penser qui nous sont étrangères. »

**CLAUDE LÉVI-STRAUSS**
*Race et Histoire*, Denoël, 1952 (rééd. Folio Essais, Gallimard, 1987), pp. 19-20.

47

# FLAGRANTS
# DÉNIS *« Non, je ne suis pas gros ! »*

↓

De la protestation indignée d'Obélix à la négation sans appel – *« Non, tu ne chanteras pas ! »* –
de Cétautomatix frappant le barde pour l'empêcher de faire ses vocalises, en passant par la superbe
épouse d'Agecanonix – qui n'est jamais nommée –, on trouve dans *Astérix* des négations explosives.
Sans compter que dans les mutuelles incompréhensions culturelles qui font la trame des albums,
il y a matière, assure le philosophe Wolfram Eilenberger, à un vigoureux éloge de la non-communication :
moins on se comprend, mieux on se comprend !

★ WOLFRAM **EILENBERGER** ★

# Sus au consensus !

SUS AU CONSENSUS!
_Par Wolfram Eilenberger

48

Le philosophe Wolfram Eilenberger soutient qu'*Astérix* ridiculise la philosophie herméneutique et sa prétention à comprendre l'Autre. Les valeureux Gaulois ne cherchent pas à accéder à l'étranger et à sa culture ni à établir un illusoire accord avec lui. Leur approche est plus modeste, ils frappent avant d'entrer en conversation. Sans chercher à comprendre.

Traduit de l'allemand par Olivier Mannoni

*« S'ils nous empêchent de passer, on leur rentre dedans et on s'explique après… »*

Ce plan d'Astérix, fidèle aux principes d'Obélix, résume toute la logique d'un univers dans lequel la rencontre de civilisations qui se méconnaissent largement les unes les autres et sont donc incapables de se comprendre, se conclut par un *clash*.

Obsédée par le phénomène de l'Autre, de l'étranger, l'histoire d'*Astérix* recoupe une obsession de la philosophie de la seconde moitié du XXᵉ siècle, laquelle est entièrement placée sous le signe de la compréhension de l'autre. C'est le cas de la philosophie analytique du langage de Quine, mais aussi des herméneutes disciples d'Heidegger (Gadamer, Ricœur ou Vattimo), d'Habermas et de l'École de Francfort, ainsi que de Lévi-Strauss et des post-structuralistes. Tous dévolus à l'exploration des conditions et des possibilités de comprendre aussi bien que possible ce que l'on appelle l'autre. Toute la philosophie contemporaine est, en somme, occupée par

l'empire herméneutique… Toute? Non. Une petite bande dessinée gauloise résiste encore et toujours en brandissant l'étendard de la non-compréhension!

La plupart des aventures d'*Astérix* débutent avec l'arrivée d'un étranger. C'est *Astérix et les Normands* qui va le plus loin dans ce sens, puisqu'on y trouve non pas un, mais deux chocs des cultures. Il y a d'abord l'arrivée soudaine au village du neveu peureux d'Abraracourcix, le Lutétien maniéré Goudurix, envoyé par son père pour que les provinciaux rustiques fassent de lui un homme. Son arrivée est suivie de peu par le débarquement des Normands, en mission

pédagogique sur les rivages de l'Armorique : ils veulent apprendre à voler grâce à la peur, dont ils ignorent tout – sauf, selon leur chef Olaf Grossebaf, qu'elle *« donne des ailes »*. Toute leur expédition part donc de l'interprétation trop littérale d'un dicton étranger. Au fil du récit, les parties en présence font tout ce qui est imaginable pour entretenir et augmenter ce contresens. Comment doit-on le comprendre ?

# PRINCIPE DE BIENVEILLANCE

L'expérience philosophique qui a sans doute exercé la plus grande influence au XXᵉ siècle se compose d'une scène primitive dans laquelle un spécialiste de la jungle a pour mission d'apprendre la langue d'un peuple qui a jusqu'alors vécu dans l'isolement le plus complet. Selon Quine et son disciple Davidson, dans une telle situation d'*« interprétation radicale »* – et elle est la règle dans l'univers d'*Astérix* –, il faut avant tout respecter deux principes d'action. Pour commencer, on devrait se concentrer sur la traduction de *mots-phrases* qui désignent des objets susceptibles d'être reconnus à l'œil nu par n'importe quel être humain sain d'esprit (disons un lapin qui fait des bonds : *« Gavagai ! »*). Les phrases d'observation de ce type sont selon Quine *« les premiers coups de hache à l'aide desquels on se fraie un chemin dans la jungle de la langue étrangère »*. On devrait ensuite respecter le *« principe de bienveillance »* selon lequel, dit Davidson, *« les mots et les pensées des autres produisent le plus de sens lorsque nous les interprétons de telle sorte que nous puissions leur apporter la plus forte approbation »*. En d'autres termes, si je crois comprendre que l'autre débite la plupart du temps de grossières absurdités, cela tient très probablement à mon interprétation défaillante et non au sens que cherchent à

« **L'idéal culturel de la compréhension bienveillante de l'étranger pourrait n'être qu'un prolongement du colonialisme sous des prémisses cachées, affirment, après Nietzsche, Michel Foucault, Edward Saïd mais aussi, d'une autre manière, Levinas** »

produire ses propos. Ce principe suppose donc que celui qui parle une langue étrangère est au moins aussi rationnel que nous-mêmes. Les personnages d'*Astérix* font volontairement le contraire, et dans leur univers linguistique, la *« maxime de la bienveillance »* est mise cul par-dessus tête. L'hypothèse fondamentale et directrice y est toujours que l'Autre, sur le plan culturel, ne prononce de toute façon, au bout du compte, que de grossières absurdités ! D'où la répétition proverbiale du constat *« Ils sont fous, ces... »* : ces Normands, ces Britanniques, ces Goths, ces Espagnols, ces Corses, ces Belges et, bien entendu, ces Romains.

Dans le monde d'*Astérix,* les efforts herméneutiques ne visent pas à rendre visible l'Autre comme une créature rationnelle qui me ressemble de manière élémentaire, mais au contraire à le faire apparaître dans son altérité, et donc dans son aliénation culturelle fondamentale. On ne cherche pas des horizons sémantiques potentiellement fédérateurs, portés dans le dialogue en vue d'une *« fusion »* créatrice d'unité (Gadamer), mais on part *a priori* de l'idée qu'une telle recherche est fondamentalement stérile. La conséquence en est qu'aucun problème n'y serait jamais résolu par consensus ni *« réglé par la discussion »* (Habermas). À l'arrivée →

50

SUS AU CONSENSUS!
_Par Wolfram Eilenberger

→ dans le camp des Normands, Astérix essaye de demander aimablement s'il est possible de voir le chef, mais cette amorce de dialogue ne fait que rendre les Normands confus et agressifs. «*Maintenant, oui! Maintenant, on leur rentre dedans!*» conclut alors Astérix. «*Ah, tout de même! répond Obélix. Je savais bien que tu finirais par être raisonnable!*»

À croire que Goscinny a écrit ce dialogue avec *De l'éthique de la discussion* ou la *Théorie de l'agir communicationnel* de Jürgen Habermas sur les genoux, pour les radicaliser jusqu'à les faire tomber dans l'absurde et le carnavalesque! Car il n'y a rien d'aussi aberrant que cette idée de mettre l'autre de son côté par la «*contrainte non contraignante du meilleur argument*»! Surtout dans le cadre d'une querelle ou d'un discours public. Il suffit de passer encore une fois les albums en revue: pas un conflit n'est résolu par le consensus – ni dans le cadre de la communauté villageoise, ni dans le contact avec des étrangers.

Et n'allons pas croire que cette observation se limite aux albums. Vous-même, estimé lecteur, avez-vous jamais – je veux dire: ne serait-ce qu'une seule fois – dans votre vie, avec votre conjoint, votre collègue de travail, vos parents, «*réglé par la discussion*» un problème substantiel et lié à votre vie en commun? Eh bien, voyez-vous, Astérix et les siens non plus. Ils sont fous, ces herméneutes...

Mais qu'en est-il de la violence? L'anti-herméneutique obstinée de cette bande dessinée ne prouve-t-elle pas, *a contrario*, que

dans notre univers globalisé, multiculturel, il n'existe pas d'alternative pacifique à la compréhension bienveillante de l'autre par le dialogue? On pourrait en avoir l'impression. Car la seule chose qui, au bout du compte, exempte nos Gaulois du devoir de compréhension réciproque, c'est leur suprématie militaire d'origine magique, leur «arme miracle», la potion magique. Ce en quoi l'on pourrait cependant aussi discerner le précepte suivant: seuls les faibles sont forcés de comprendre, seuls les agresseurs qui ne sont pas suffisamment sûrs de leur victoire... Que se passerait-il si, derrière la volonté de compréhension de l'autre, se trouvait en réalité la volonté d'exercer du pouvoir sur l'autre?

Le soupçon que l'idéal culturel directeur de la compréhension bienveillante de l'étranger pourrait n'être qu'un prolongement du colonialisme sous des prémisses cachées, n'a cessé d'être exprimé après Nietzsche par Michel Foucault, Edward Saïd, mais aussi, d'une autre manière, par Emmanuel Levinas. Il n'existe en effet, tel est le noyau commun de leur critique, ni sur le plan théorique, ni sur le plan pratique, aucune méthode plus efficace pour nier et éliminer l'altérité fondamentale de l'autre que de le comprendre pleinement et totalement! Comme dit

Batdaf: «*C'est ça qui est instructif dans les voyages... savoir comment vivent les habitants, avant de les massacrer.*»

Astérix et les siens ne veulent comprendre personne parce qu'ils ne veulent coloniser personne. Leur objectif est purement réactif: ils veulent tenir leur propre folie – leur culture – à l'abri du nivellement imposé par l'Empire. Certes, les coups pleuvent régulièrement dans l'univers d'*Astérix*, mais il y règne tout aussi souvent l'esprit de la raillerie fraternelle et du rire échangé en découvrant l'autre. On ne se reconnaît pas mutuellement sous le signe d'une supposée raison discursive universelle, mais sous celui de la divergence fondamentale. Ce qui porte ce monde-là n'est par conséquent pas l'espoir du consensus et de l'unité, mais le droit, reconnu à l'autre *a priori*, d'«être fou», chacun à sa manière. *Astérix* est une utopie philosophique neuve qui, dans notre Europe du discours toujours plus centralisé et toujours plus total, a toutes les chances de paraître trop folle à une majorité trop raisonnable pour la comprendre. Mais après tout, que les autres vous prennent pour un fou a toujours été bon signe, dans le monde d'*Astérix* comme dans celui de la pratique philosophique. ✱

**WOLFRAM EILENBERGER (1972-)**
Écrivain, docteur en philosophie et rédacteur en chef de *Philosophie Magazin*. Il est l'auteur de *Une Vie meilleure. Comment la philosophie habite concrètement notre vie* (Flammarion, 2012) et de plusieurs essais non traduits ayant trait à la politique et à la culture populaire.

★ CAMILLE **FROIDEVAUX-METTERIE** ★

↓

Longtemps, les (rares) femmes d'*Astérix* étaient ménagères ou enjôleuses. En 1991, avec *La Rose et le Glaive*
et le personnage de Maestria, elles deviennent à la fois féminines et féministes. Cela n'allait pas de soi :
la philosophe Camille Froidevaux-Metterie rappelle que les féministes cherchaient alors à se défaire
de la domination masculine en se libérant de « la Femme » et de ses figures d'épouse, de mère
ou d'objet (casseroles, biberons et dessous chic). Et maintenant ?

# Tenir la rose et le glaive avec maestria

*« J'ai tout à coup l'impression que cette histoire manque d'hommes… »,* se désole Bonemine, la femme du chef Abraracourcix, après avoir vu partir tous les Gaulois vaillants aux jeux Olympiques. L'album date de 1968 et s'il faut remarquer une singulière absence, en son sein comme dans les opus qui l'ont précédé, c'est bien celle des femmes ! Si l'on excepte Cléopâtre, décorative apparition qui ouvre et ferme le volume éponyme, il faut attendre le dixième album pour découvrir un véritable personnage féminin. C'est Falbala dont tous les hommes tombent amoureux et qui obtient d'Astérix et d'Obélix qu'ils aillent chercher son fiancé enrôlé de force dans la légion romaine.

Avec elle, Goscinny introduit l'autre grand type féminin de la série ; au côté de la robuste ménagère, voilà la blonde enjôleuse, qui parviendra peut-être à briser le célibat des deux héros. Las, ni Falbala ni aucune de celles que les matrones de l'irréductible village

s'évertuent à leur présenter ne parviendront à les séduire. *« Non, je ne suis pas prêt pour le mariage ! »* s'énerve le petit guerrier dans *Astérix et Latraviata.* Les femmes resteront donc cantonnées dans des rôles secondaires, bien souvent caricaturaux, et quand elles seront enfin autorisées à boire la potion magique, dans *Le Devin,* la réprobation sera immédiate. *« Je suis contre l'égalité de la femme et de l'homme »,* grommelle Ordralfabétix après avoir reçu une gifle magistrale de Bonemine essayant ses nouveaux pouvoirs.

La relégation des femmes aux marges d'une série à la tonalité très virile ne justifie pourtant pas que l'on intente un procès en misogynie aux pères d'*Astérix.* D'une part parce

qu'ils sont nés dans l'entre-deux-guerres en des temps de somnolence féministe ; d'autre part parce qu'ils sont soumis, en tant qu'auteurs, à cette loi de juillet 1949 visant à moraliser les publications destinées à la jeunesse et qui les contraindra, de l'aveu de Goscinny lui-même, à limiter le nombre de femmes dans leurs histoires.

Voilà pourquoi l'irruption d'une héroïne de plein droit, en la personne de Maestria dans *La Rose et le Glaive* en 1991, surprend et intrigue même. Conçue pour répondre aux accusations répétées de sexisme, elle introduit le féminisme dans le mâle univers d'*Astérix.* Mais elle le fait sur un mode bien particulier, quasi contradictoire. Ce n'est pas seulement →

l'idéal de l'égalité entre les sexes que la nouvelle barde-institutrice entend inculquer aux *«Gauloises modernes»*, c'est aussi la mode lutétienne. En même temps qu'elle les exhorte à se *«libérer de leurs chaînes»* et à *«dire non à la tyrannie masculine»*, elle organise un défilé présentant les nouvelles tendances en vogue chez les couturiers de la capitale. Et lorsqu'une centurie exclusivement féminine attaque le village, espérant la reddition rapide d'un peuple gaulois réputé pour sa galanterie, c'est en organisant une grande vente de produits de beauté de Lutèce qu'Astérix et Maestria obtiennent une facile capitulation.

Ce mixte de féminisme et de féminité est incongru, pour ne pas dire aberrant, et l'on peut gager qu'il ne serait jamais venu à l'esprit d'une scénariste. Le déni de la corporéité féminine et le rejet de tout ce qui réduit les femmes à leur prétendue nature constituent en effet des fondamentaux de la pensée féministe. Pour les théoriciennes de la deuxième vague, il s'agissait d'en finir avec les anciennes assignations liées au statut domestique, intimement liées au corps : celui des épouses qui se mettent au service du bien-être quotidien de leur mari, celui des mères qui portent et nourrissent leur progéniture, et des amantes qui se font objets du désir des hommes.

> « Le déni de la corporéité féminine et le rejet de tout ce qui réduit les femmes à leur prétendue nature constituent des fondamentaux de la pensée féministe. »

Depuis lors, la position féministe est unanime, qui fait du corps le lieu par excellence de la domination masculine. L'émancipation consiste pour les femmes à prendre conscience, pour s'en libérer, des servitudes corporelles qui les rabaissent à une condition de subordination. Définies par la possession formelle de droits et par l'épreuve réelle de la discrimination, elles doivent en quelque sorte vivre et se penser comme si elles n'avaient pas de corps. La figure d'une féministe soucieuse et fière à la fois de sa tenue (des braies *«djinn»*), telle que Maestria l'incarne, apparaît tout simplement antinomique. Mais qu'elle ait été imaginée par Uderzo en 1991 n'est pas anodin, et révèle quelque chose d'un certain aveuglement féministe.

L'interprétation de la dimension incarnée de l'existence féminine dans les termes de l'aliénation ne recouvre pas la réalité de l'expérience vécue des femmes. Devenues légitimes dans la sphère sociale et affranchies de toute fatalité procréatrice, elles n'ont pas pour autant cessé d'être concernées par ces problématiques déconsidérées pour leur proximité avec l'ordre phallocentré que sont les relations amoureuses et sexuelles, la maternité et le souci de la présentation de soi. En dépeignant les membres de la centurie féminine sous les traits stéréotypés de jeunes femmes athlétiques et sexy, Uderzo force un peu le trait et parvient finalement à les rendre ridicules. Il souligne cependant une dimension cruciale de la condition féminine contemporaine : sa dualité.

Chaque femme est à la fois un individu de droits impliqué dans une vie professionnelle qu'elle espère épanouissante, et un sujet concret de sexe féminin soucieux de s'accomplir dans sa vie affective et familiale. Loin de figurer l'enfermement et le destin subi, le corps des femmes – occidentales, faut-il le préciser – est l'un des vecteurs privilégiés de leur liberté. Tenir ensemble la rose et le glaive, nous en sommes désormais capables. ✳

**CAMILLE FROIDEVAUX-METTERIE**
Professeure de science politique à l'université de Reims Champagne-Ardenne et membre de l'Institut universitaire de France. Cherchant à faire tenir ensemble philosophie, sociologie, histoire et psychanalyse, elle a publié avec Marc Chevrier un ouvrage collectif, *Des femmes et des hommes singuliers. Perspectives croisées sur le devenir sexué des individus en démocratie* (Armand Colin, 2014). À paraître en janvier 2015 chez Gallimard : *La Révolution du féminin*.

✳ ENTRETIEN AVEC GEORGES **VIGARELLO** ✳

# Un esprit contemporain dans un corps ancien

Gros, ripailleurs et résolument voraces, les Gaulois d'Astérix se moquent éperdument de l'impératif catégorique des cinq fruits et légumes par jour. Georges Vigarello montre que s'ils appartiennent physiquement à un temps révolu, ils manifestent une volonté de liberté individuelle rétive aux contraintes qui les apparente aux individualistes contemporains. En gros.

Propos recueillis par Sven Ortoli

**Que disent les corps dans *Astérix*?**

**Georges Vigarello** — Commençons par les gros : il y en a trois types. Le Romain décadent des délices de Capoue, comme le gouverneur Gracchus Garovirus, abruti par ses repas de tripes de sanglier frites dans la graisse d'urus, liquéfié par ses litres de vin,

avec son corps aux membres indistincts, outre impuissante qui peut à peine marcher... Le Gaulois un peu fort, hédoniste et ripailleur, qui garde les yeux ouverts et ne sombre jamais dans l'addiction aux orgies. Enfin, bien sûr, Obélix, dont la rondeur parfaite n'exclut jamais la force, au contraire : il court vite, frappe vite, navigue et danse. Son obésité n'est jamais antipathique. Obélix est une brute assez limitée, mais il est aussi tendre que fort, aussi soupe

au lait qu'amoureux romantique, ami fidèle. Il affronte ces contradictions et, sans pourtant lui échapper, ne se réduit jamais à son corps.

**C'est vrai de tous les personnages d'*Astérix*.**

Oui, parce que chaque corps s'inscrit dans une situation et reflète à la fois la culture et la psychologie des personnages. Regardez le banquet gaulois, c'est une explosion de couleurs, d'yeux pétillants, de corps débordant

**GEORGES VIGARELLO (1941-)**
Directeur de recherches à l'École
des hautes études en sciences
sociales (EHESS), spécialiste de
l'histoire des pratiques corporelles
et de la représentation du corps.
Il a notamment publié *Le Propre
et le Sale : l'hygiène du corps
depuis le Moyen Âge* (Seuil, 1987),
*Les Métamorphoses du gras :
histoire de l'obésité, du Moyen Âge
au XXᵉ siècle* (Seuil, 2010) et
*La Silhouette, du XVIIIᵉ à nos jours :
naissance d'un défi* (Seuil, 2012).

UN ESPRIT CONTEMPORAIN DANS UN CORPS ANCIEN
_Entretien avec Georges Vigarello

54

de vitalité, jamais affaissés par l'abondance de leur nourriture. Les Arvernes évoluent, quant à eux, dans une ambiance fermée à laquelle leurs yeux mi-clos font écho, tandis que leurs cheveux noirs et hirsutes reflètent leurs boutiques de vins et charbons. Les corps des Celtes d'Armorique sont toujours en mouvement, ceux des Marseillais respirent le soleil : barbe taillée, bras découverts et maillots rayés signifient la ville et la bonhomie. Ils sont l'exact opposé des Corses, dont la raideur, le silence et l'économie de gestes figurent l'intériorisation d'une vie clanique. Dans la Corse d'*Astérix,* on communique par le contact d'une main posée sur l'épaule du frère de sang – le contact tactile fonde et informe le corps social – et la force intérieure s'exprime aussi par ce regard qui tétanise les

étrangers. Quant aux gilets de fourrure, ils enracinent les Corses dans une culture montagnarde et rurale, intrinsèquement résistante à la civilisation citadine des Romains. Au fond, et d'une manière générale, on pourrait dire que les Gaulois d'*Astérix* fonctionnent sur le mode d'une liberté individuelle réticente à tout ordre extérieur, au contraire des Romains, tous soumis, gros ou minces, à la norme de la toge ou de l'uniforme. En cela ils sont très caractéristiques des prémices de l'individualisme qui émerge dans les années 1960 et 1970, et n'a fait que s'accroître depuis : l'individu n'a plus à représenter un groupe ou un milieu. Sa singularité relève de lui-même et de lui seul. Ses manifestations suggèrent un sujet. La conséquence est décisive : il «est» son apparence.

**Marcel Gauchet parle de *« l'émergence d'un "cogito corporel" qui remplacerait le "Je pense donc je suis" par un "Je suis mon corps" »*…**

Peut-être est-il excessif d'identifier l'âme au corps comme il a pu le soutenir. Mais il est hors de doute que le corps fonde notre identité. Nous qui vivons plutôt sur l'héritage des décennies 1980-1990, nous subissons davantage l'investissement du corps comme représentation de soi, image de notre singularité personnelle. Je me souviens très bien que dans mon enfance, dans les années 1940-1950, le corps était immédiatement socialisé. Dans la rue, on pouvait reconnaître le métier d'un passant au premier coup

d'œil : sans parler de ses habits, la couperose au visage indiquait l'ouvrier… Chacun était inscrit dans sa culture, dans son milieu, dans son métier. Aujourd'hui, c'est terminé. Bien sûr, on distingue encore les riches des pauvres, mais vous aurez du mal à savoir si telle femme dans le métro est employée ou cadre. La classe sociale, le groupe, le quartier, toutes ces appartenances se sont beaucoup atténuées : l'individualité s'affirme à leurs dépens.

**L'individualité des Gaulois va étonnamment à rebours des impératifs de minceur…**

C'est vrai. Sur la plage de Nice, dans *Le Tour de Gaule d'Astérix,* les gens sont extraordinairement relâchés : la chair des «congés payés» se répand sur le sable. C'est d'autant plus intrigant que cette liberté des corps dans *Astérix* s'affirme précisément à l'époque où les diktats des magazines s'imposent avec une rigueur extrêmement normative. Goscinny a d'ailleurs imaginé tout un scénario, celui du *Bouclier arverne,* comme une parodie grotesque des cures thermales, très à la mode dans les années 1960. Je suis très frappé par la présence dans *Astérix* de nombreux personnages très gros, mais jamais maladifs ou malsains. À la lecture, on est surtout frappé par l'insouciance et le formidable plaisir de vivre qui se dégage du petit village gaulois : jamais la bonne chère n'entraîne l'obésité, on communie dans une effervescence bon enfant. ✳

★ JÉRÔME **DARGENT** ★

bèse ?

**Il a beau bouder, tomber amoureux, abuser de son rôle d'homme important,** se ridiculiser, il n'abdique jamais sa dignité. Obélix est gros, mais pas grotesque. Non seulement craint, mais respecté, il se montre incapable de dissimulation et résiste à tous les mauvais penchants. Son job de livreur de menhirs ? Une couverture pour sa véritable mission : conjurer les entreprises romaines de déstabilisation, même quand Astérix se trouve à court de potion magique. On ne peut pas dire qu'Obélix incarne la clairvoyance, la ruse ou l'appétit de connaître, domaines réservés d'Astérix et de Panoramix. Mais il a de l'appétit tout court, une gourmandise à l'origine de sa force puisée un jour à la louche dans la marmite où il est tombé, enfant. Cette force originelle et cet amour

des festins le rapprochent de Gargantua, que Rabelais a conçu en l'apparentant au roi humaniste François I$^{er}$, emblème de vigueur et d'un puissant vouloir-vivre collectif. Lorsqu'il s'exprime dans les festins, cet appétit de vivre pourrait faire trembler médecins et nutritionnistes ; le sanglier est sans doute trop riche en acides gras insaturés pour être consommé sans modération. Mais Obélix n'a pas été conçu dans cet esprit. Il est avant tout le (gros) acolyte d'Astérix, dans la veine du couple de Don Quichotte et Sancho Pança ou de Laurel et Hardy. On pourrait parler d'un

obèse bien portant, même si cette notion est combattue par l'endocrinologie contemporaine. Obélix est gros, c'est un fait ; mais l'obésité a justement pour caractéristique d'être finalisée, de s'aggraver sans cesse ou d'être au contraire ressaisie dans un projet de minceur : l'obèse n'est pas un être, mais un corps engagé dans un processus dynamique, un devenir. Et notre héros reste au contraire fidèle à lui-même, gros sans morbidité, immuable, figé, enveloppé dans ses braies, dont les rayures peinent à l'amincir. Obèse, Obélix ? Mince, alors ! ★

**JÉRÔME DARGENT (1959-)**
Docteur en médecine et en philosophie. Médecin libéral, ancien chef de clinique et spécialiste de l'obésité morbide. Il a notamment écrit *Le Corps obèse. Obésité, science et culture* (Champ Vallon, 2005) et *Chirurgie de l'obésité* (Springer-Verlag, 2009).

↓

La jeune épouse anonyme d'Agecanonix est une troublante énigme. Femme au corps de rêve, elle traverse le village sans émouvoir les hommes, semblant n'avoir pas plus de consistance qu'un fantôme. Elle n'est pourtant pas effacée. Dotée d'un fort tempérament, la femme sans nom et sans corps visible s'entête. Sonia Feertchak déchiffre ce fantasme en forme de fantôme.

* SONIA **FEERTCHAK** *

# La femme sans nom, fantasme et fantôme

↓

La femme d'Agecanonix jouit d'un statut particulier dans le village gaulois: elle n'a pas de nom. Tout juste un surnom – son mari l'appelle parfois «*Poussin*» – et, à deux ou trois reprises, une dénomination patronymique, Madame Agecanonix, ce qui est peu. En somme, elle n'est jamais nommée. Étrange, car avec ses faux airs de

Brigitte Bardot, la femme sans nom est spectaculaire et fait montre de caractère, et le couple atypique qu'elle forme avec son petit mari d'âge canonique – 93 ans – ne passe pas inaperçu. Quoiqu'elle ne manque jamais de le gratifier, elle le mène à la baguette à partir de 1970, date à laquelle elle apparaît dans *La Zizanie*: le vieux réac fait la vaisselle dès cet album et sans rouspéter – on ne va pas s'extasier, mais quand même. L'absence de nom de cette femme est d'autant moins légitime que, parmi les autres épouses, celle d'Agecanonix est précisément la plus reconnaissable, après Bonemine qu'elle égale au niveau du verbe (haut) et du crêpage de chignon.

Il suffit de poser la question «*Voyez-vous qui est la femme d'Agecanonix?*»; tout le monde la connaît, la reconnaît, est capable de la décrire: c'est la jeune femme volcanique, accorte, vêtue de vert au chignon choucroute. Uderzo et Goscinny, dont le manque d'inspiration onomastique est peu probable, auraient-ils été enfumés par cette Gauloise rousse?

Autre bizarrerie de la femme sans nom: si nous, lecteurs, voyons bien qu'elle est aguichante voire aguicheuse, dans la bande dessinée en revanche, aucun personnage ne semble s'en rendre compte. Sauf exception, les hommes ne la regardent pas, les femmes n'éprouvent à son égard ni envie ni jalousie, deux sentiments qui font pourtant le ressort de nombreuses aventures des irréductibles. Si l'on s'en tient à ses mensurations, à sa mise, la femme sans nom devrait pourtant provoquer des émeutes dans les rues et des ravages dans les cœurs. Falbala, l'estampillée jolie qui lui ressemble tant que nombreux sont les lecteurs qui les confondent, provoque des pâmoisons en série, Idéfix compris. Au contraire, la femme d'Agecanonix ne suscite d'autres réactions que celles engendrées par son tempérament bien trempé. En dépit de sa plastique, cette Gauloise n'invite à nulle gauloiserie.

Comme si elle était transparente, fantôme privé d'appellation et de corps sexué; comme si elle ne «tenait» que par son statut ou peu près: celui d'épouse... Madame Agecanonix incarnerait-elle la femme idéale, conventionnelle et docile? Ça ne colle pas: l'absence de singularité que lui

> « L'archétype de la femme idéale, normative, subalterne et insipide, a fait place à celui de la femme parfaite, originale, sexy et forte »

confère son absence de nom est antinomique de sa personnalité affirmée, et rien n'explique par là le déni de sa beauté. Ils sont fous, ces Gaulois?

Pas tant que ça. Le choix de Brigitte Bardot, d'abord, n'est probablement pas fortuit pour figurer une femme forte dans le «*petit village qui résiste encore et toujours à l'envahisseur*». En 1970, l'actrice de *Et Dieu créa la femme*, devenue une icône outre-Atlantique, résista à Hollywood, se permettant au passage de dire non à John Wayne, à Steve McQueen, plus tard à Marlon Brando. Entre-temps, elle aura prêté ses traits à Marianne, pour la première fois incarnée. Par le choix d'un modèle «incorruptiblement gaulois», Goscinny et Uderzo illustrent donc une autre façon de «résister» à l'envahisseur, ici le *star-system* mondialisé.

Bien roulée et singulière, indubitablement amoureuse de son vieil époux rabougri, la femme d'Agecanonix déjoue, là aussi, les clichés... tout en relevant, quand même, de l'archétype. Car la rousse canon incarne

– d'autant plus pour «*Agecanonichou*», homme sans qualités apparentes – le rêve parfait d'une épouse loyale, fidèle et ravissante... mais sans que son époustouflante beauté n'attire d'ennuis, ni à elle ni à lui – on est bien dans le registre, abstrait, du fantasme, de l'idéal. La femme-objet n'est pas la poule de luxe d'un riche barbon, son union n'est explicable que par l'amour. La coquette-féministe (l'oxymore serait-il possible?) prend sa vie en main: si son mari fait la plonge – elle, jamais! –, elle ne lui reproche nullement sa position sociale, contrairement à Bonemine qui se désole qu'Abraracourcix soit un barbare et qui rêve de s'installer à Lutèce. Le vent de Mai-68 et l'influence de la BD *underground* (*Barbarella*, *Valentina*...) ont soufflé sur le village gaulois: l'archétype de la femme idéale, normative, subalterne et insipide, a fait place à celui de la femme parfaite, originale, sexy et forte. Pour les lecteurs, un doux rêve. Pour les lectrices, gare à ce qui pourrait devenir une injonction... mais c'est une autre question. *

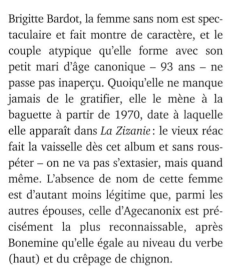

**SONIA FEERTCHAK (1974-)**
Ancienne journaliste, elle a travaillé au magazine *Okapi*. Elle est l'auteure d'un *Manuel d'autodéfense féministe* (Plon, 2007) et de *Ma fille. Conseils aux mères d'ados* (Plon, 2010). Elle actualise chaque année *L'Encyclo des filles* (Plon, 2002; Gründ, 2014) pour répondre aux questions que se posent les adolescentes.

LA FEMME SANS NOM, FANTASME ET FANTÔME
_Par Sonia Feertchak

57

* PHILIPPE **NASSIF** *

# La victoire en déchantant

*« Non, tu ne chanteras pas ! »* Avec le barde Assurancetourix réduit au silence, c'est la mémoire
collective nationale qui est bâillonnée, juge Philippe Nassif. Lancée à corps perdu dans
la modernité, la France de l'après-guerre est une communauté désaccordée de ses origines,
préférant les faux accents de la victoire au récit véridique de ses sombres années. Le silence
du barde est l'aveu criant de cette parole refoulée et la marque d'un collectif désamour de soi.

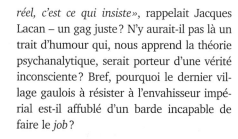

**C'est la dernière image :** l'une des plus célèbres, répétitives et troublantes des aventures d'*Astérix*. L'épisode a trouvé un dénouement heureux. Les derniers hommes libres de la Gaule se retrouvent autour d'un banquet vorace et joyeux, mais ils sont installés en arrière-plan. Car au premier plan de l'image, on voit le barde du village ligoté, empêché, bâillonné.

De fait, à chaque fois qu'Assurancetourix se propose d'entonner un chant de célébration, surgit le forgeron Cétautomatix qui, masse au poing, lui assène un définitif : «*Non, tu ne chanteras pas !*» À moins que l'assemblée ne se disperse rapidement en prétextant des affaires importantes à régler. Car Assurancetourix est aimé, «*il est un excellent camarade*», constate Abraracourcix, et quand il est fait prisonnier par les Romains, tout le village se mobilise pour le délivrer. En tant que barde, il appartient à la classe sacerdotale : c'est un savant qui fait la classe aux enfants, joue du luth et assume, lors du duel électoral du *Cadeau de César*, le rôle d'arbitre. Mais voilà, lorsqu'il se met à chanter, c'est la catastrophe : sa voix est terrible, son chant est dissonant, capable de faire fuir les animaux de la forêt ou les Romains terrorisés.

Et là est le hiatus : voilà une communauté antique privée de son barde qui, tel l'aède grec, a une fonction sacrée : revivifier rituellement la mémoire collective. À travers ses chants, le barde redit les mythes fondateurs, décline le lignage et la généalogie des familles les plus importantes du groupe, relie la communauté à ses origines et lui offre ainsi un horizon de sens partagé. La défaillance d'Assurancetourix est-elle juste un gag ? Ou, comme nous l'amène à penser son insistance d'album en album – «*le

réel, c'est ce qui insiste*», rappelait Jacques Lacan – un gag juste ? N'y aurait-il pas là un trait d'humour qui, nous apprend la théorie psychanalytique, serait porteur d'une vérité inconsciente ? Bref, pourquoi le dernier village gaulois à résister à l'envahisseur impérial est-il affublé d'un barde incapable de faire le *job* ?

# DÉSAMOUR DE SOI

Tentons une hypothèse. Les premiers albums d'*Astérix* sont composés au début des années 1960. Soit à l'issue d'une décennie qui aura vu la brutale et massive modernisation du pays. En une dizaine d'années, «*la France, qui était encore un pays catholique foncièrement rural et impérialiste, se mua en un pays urbanisé, pleinement industrialisé et privé de ses colonies*», écrit l'historienne américaine Kristin Ross dans son stimulant *Aller plus vite, laver plus blanc* [1]. Ce que la France se met à perdre essentiellement dans ce processus, c'est la mémoire de soi : de ses chants populaires, de ses traditions vernaculaires, de ses rituels villageois. Et si ce désamour de soi est autrement plus ample que chez ses voisins européens, ce n'est pas seulement à cause de l'impérialisme culturel américain. Mais parce qu'elle hérite d'une histoire falsifiée. Déjà profondément mutilée par le carnage absurde de la Première Guerre mondiale, la France se réconcilie à l'issue de la Seconde Guerre mondiale autour d'une «victoire» fictive sur le IIIe Reich et du mythe de la Résistance porté par le général… de *Gaulle*. En vérité, refoulant la réalité de la collaboration avec l'envahisseur, la France est de moins en moins capable de se regarder en face (dans le champ philosophique, cela donnera la

«*French Theory*» selon laquelle «*les mots et les choses appartiennent à deux ordres séparés*», remarque Peter Sloterdijk dans sa brève *Théorie des après-guerres* [2], en faisant référence à une célèbre conférence de Foucault). Elle accueillera donc d'autant plus facilement l'avènement d'une classe moyenne sans histoire ni mémoire puisque «*créée par et pour la marchandise*», écrira Guy Debord dans *La Société du spectacle*.

De ce point de vue, la défaillance du barde gaulois a beaucoup de sens. Son nom renvoie à l'idéal de confort assuranciel des nouvelles classes moyennes (Assurance-tous-risques) tandis que celui de son persécuteur privilégié (C'est-automatique) évoque le dessaisissement de la classe laborieuse de son savoir-faire – et bientôt de son savoir-vivre – au profit des machines.

Tout se passe donc comme si, malgré le désir manifeste de glorifier nos ancêtres les Gaulois, Goscinny et Uderzo ne pouvaient faire autrement que d'avouer l'impossibilité d'une telle entreprise. Autrement dit, il y a un *bug* dans la matrice. Un point de réel qui résiste à la fiction sympathique d'une France vaillante et rebelle. Un collectif désamour de soi, encore insu mais déjà en germe au mitan des années 1950. Astérix et Obélix, ce sont les aventures d'une communauté désaccordée du chant des origines, et qui ne parvient à se souder que par la grâce d'un ennemi extérieur – les Romains – et son obsession de la bonne bouffe.

À suivre cette ligne d'interprétation, le banquet final perd évidemment de sa superbe : il relève moins des agapes de la tribu glorieuse que d'une soirée barbecue dans un hameau pavillonnaire tel qu'il en pousse un peu partout dans les années 1960. Ou le premier signe d'une France qui bientôt s'avouera franchement désenchantée. ✱

1. Kristin Ross, *Aller plus vite, laver plus blanc. La culture française au tournant des années soixante*, éd. Tempo, trad. S. Durastanti, 1re édition, 1997. 2. Peter Sloterdijk, *Théorie des après-guerres. Remarques sur les relations franco-allemandes depuis 1945*, Libella, Maren Sell, 2008.

**PHILIPPE NASSIF (1971-)**
Écrivain, journaliste à *Technikart* et conseiller de la rédaction de *Philosophie Magazine*. Il est notamment l'auteur d'un livre d'entretiens avec Mehdi Belhaj Kacem, *Pop philosophie* (Denoël, 2008 ; rééd. Tempus Perrin, 2008) et de *La Lutte initiale : quitter l'empire du nihilisme* (Denoël, 2011).

« Mon corps, *topie* impitoyable. Et si, par bonheur, je vivais avec lui dans une sorte de familiarité usée, comme avec une ombre, comme avec ces choses de tous les jours que finalement je ne vois plus et que la vie a passées à la grisaille ; comme avec ces cheminées, ces toits qui moutonnent chaque soir devant ma fenêtre ? Mais tous les matins, même présence, même blessure ; sous mes yeux se dessine l'inévitable image qu'impose le miroir : visage maigre, épaules voûtées, regard myope, plus de cheveux, vraiment pas beau. Et c'est dans cette vilaine coquille de ma tête, dans cette cage que je n'aime pas, qu'il va falloir me montrer et me promener ; à travers cette grille qu'il faudra parler, regarder, être regardé ; sous cette peau, croupir. Mon corps, c'est le lieu sans recours auquel je suis condamné. Je pense, après tout, que c'est contre lui et comme pour l'effacer qu'on a fait naître toutes ces utopies. Le prestige de l'utopie, la beauté, l'émerveillement de l'utopie, à quoi sont-ils dus ? L'utopie, c'est un lieu hors de tous les lieux, mais c'est un lieu où j'aurai un corps sans corps, un corps qui sera beau, limpide, transparent, lumineux, véloce, colossal dans sa puissance, infini dans sa durée, délié, invisible, protégé, toujours transfiguré ; et il se peut bien que l'utopie première, celle qui est la plus indéracinable dans le cœur des hommes, ce soit précisément l'utopie d'un corps incorporel. »

**MICHEL FOUCAULT,**
«Le Corps utopique», *Les Hétérotopies – Le Corps utopique*. éd. Lignes, 2009.

61

# MON VILLAGE ET L'EMPIRE *Ils résistent encore et toujours...*

↓

C'est le village le plus célèbre de France – et même d'Allemagne – qui a fait d'Astérix
un héros national. De part et d'autre du Rhin, le village gaulois est venu incarner la résistance.
Contre qui? Contre tout ce qui s'est apparenté à une domination. Vu de République fédérale d'Allemagne
dans les années 1960, c'étaient les bases américaines à l'intérieur et la menace soviétique à l'Est.
Vu de France, à la même époque, le village gaulois vengeait le souvenir de l'occupation nazie,
brocardait l'impérialisme de l'Oncle Sam et annonçait, dans *Le Domaine des dieux,* la réaction
aux ravages des promoteurs immobiliers des années 1970. En attendant de symboliser le combat
contre la mondialisation et, encore et toujours, contre la fuite du temps.

※ FLORENCE **DUPONT** ※

# Le village qui résiste... au
# temps

↓

Curieux vaincus – note Florence Dupont –, ces Gaulois défaits à Alésia qui enchaînent les victoires
contre les Romains et perpétuent une parodie de résistance en forme de guéguerre sans fin. Si les Gaulois ont besoin
d'un ennemi pour combattre l'ennui et souder la communauté, ils visent d'abord à conserver un ordre immanent et éternel.
Leur vraie potion magique, conclut la latiniste, c'est une machine à arrêter le temps.

« Astérix et César sont complices pour arrêter perpétuer le paradoxe du vainqueur-vaincu dans une guerre pour rire, mais sans fin »

**La BD *Astérix* repose sur le paradoxe du vaincu-vainqueur.** Le petit Gaulois, vaincu à Alésia, assomme d'album en album impunément tous les Romains qu'il rencontre. Ce paradoxe est viable parce qu'*Astérix* est une série. Dans une série, à la différence du feuilleton, chaque épisode est autonome et clos sur lui-même. Il ne se passe rien. Il n'y a ni avant ni après. Chaque album inscrit son récit dans un temps immobile et circulaire. Quoi qu'il se passe au cours de chaque récit, le monde du début et le monde de la fin sont identiques. Une série est incompatible avec l'Histoire. Dans *Astérix*, les cinq personnages principaux figurent sous forme de vignettes, avec des étiquettes résumant le rôle de chacun sur la deuxième page de garde de chaque album. Ils sont fixés à tout jamais. Seule la mort du dessinateur, ou son caprice, peut menacer leur pérennité. À la fin de chaque album, le village d'Astérix est indemne et tous les habitants se réunissent pour un grand banquet de sangliers sous la lune. D'album en album, César reste tel qu'en lui-même, avec sa couronne de laurier et sa toge ; ses armées ont conquis le reste de la Gaule et les camps romains continuent d'assiéger en vain le « village gaulois », ce village sans nom qui apparaît en première page de garde sur une carte de Gaule avec la mention « conquête romaine 50 avant J.-C. » Ces deux pages de garde reproduites à l'identique dans chaque album et l'image finale du banquet sous la lune cadenassent la série. L'année 50 avant J.-C. devient une éternité stable[1].

Au contraire, un feuilleton comme *Un village français* dont le sujet est proche de celui

d'*Astérix*, puisqu'il raconte la résistance d'un village à une occupation militaire, enchaîne ses épisodes entre un début et une fin, avec des morts, des départs et des arrivées, des mariages et des naissances. Les personnages qui restent évoluent d'un épisode à l'autre, passent de la Collaboration à la Résistance, vieillissent, les enfants grandissent. Il se passe quelque chose, après n'est pas avant. Le récit commence avec l'arrivée des troupes allemandes et se termine avec leur départ. Rien ne sera plus comme avant. L'Occupation et la Résistance ont tout bouleversé.

## VAINQUEURS EN SÉRIE

La BD *Astérix* commence en sortant de l'Histoire au moment de la défaite de Vercingétorix à Alésia en 52 avant J.-C. (au début du premier album, *Astérix le Gaulois*, en 1961). La conquête est finie, mais les Romains n'entreront jamais dans le village gaulois. La résistance d'Astérix ne consistera pas à chasser l'occupant puisque son village n'est pas occupé. Son seul but, ainsi que celui des autres habitants, est de conserver intact leur monde et leurs manières de vivre. Ils forment une ethnie de chasseurs-cueilleurs, sans mémoire, sans histoire et sans politique. Ce sont de purs Gaulois, accumulant les signes de la « gauloiserie » : moustaches blondes, pantalons et casques à plumes, menhirs et

sangliers, druide coupant le gui, etc. Ils combattent régulièrement les Romains, sans paix possible, forment « une société pour la guerre ». Une poignée de vaincus ponctuellement vainqueurs qui n'attendent rien de leur victoire.

La clef du paradoxe est la potion magique préparée par le druide, qui donne une force invincible mais passagère aux Gaulois. Toute patrouille romaine qui les approche est rouée de coups et rentre au camp en sale état. César à Rome ronge son frein, mais finalement s'en accommode. C'est en vain qu'il a cherché à leur voler leur secret. Dès le premier album, César fait un pacte avec Astérix qui l'a débarrassé d'un traître qui voulait l'assassiner. Astérix a sauvé la série. César reste César, il sauve à son tour la série et laisse partir Astérix. Ils se promettent l'un l'autre que les bagarres continueront. Finalement, Astérix et César sont complices pour arrêter l'Histoire, perpétuer le paradoxe du vainqueur-vaincu dans une guerre pour rire, mais sans fin.

Une véritable résistance à l'occupant, comme dans *Un Village français*, est une guerre sans règle, dissymétrique, qui mène soit à l'extermination des résistants soit à l'expulsion des occupants, une guerre tendue vers l'avenir et dans l'horreur du présent. Dans *Astérix*, les deux équipes s'affrontent, gagnent ou perdent puis recommencent, toujours selon les mêmes règles. Personne ne s'en va, personne n'est exterminé, tout le monde vit bien dans un éternel présent. →

LE VILLAGE QUI RÉSISTE… AU TEMPS
_Par Florence Dupont

63

COMPRENANT QU'ILS ALLAIENT DRÔLEMENT DÉGUSTER, LEUR BOUCHE, D'UN SEUL CRI, DIT :

C'EST PAS UN PEU FINI ? ARRÊTEZ !!!

**FLORENCE DUPONT**
Latiniste, professeure à l'université Paris-VII, directrice de programmes au Collège international de philosophie, spécialiste du théâtre antique et de la civilisation romaine. Elle est l'auteure notamment de *Homère et Dallas. Introduction à une critique anthropologique* (Hachette, 1991 ; rééd. Kimé, 2005), *Rome, la ville sans origine* (Gallimard, 2011) et d'un livre d'entretiens avec Pauline Colonna d'Istria et Sylvie Taussig, *L'Antiquité, territoire des écarts* (Albin Michel, 2013).

La résistance d'Astérix se limite à quelques échauffourées où lui et ses amis, le plus souvent avec le seul Obélix, ont toujours le dessus. Sans ces bagarres, les Gaulois du village s'ennuient. En fait, il y a peu de variations d'un album à l'autre car, vu le paradoxe de départ, rien ne peut bouger, ni du côté romain ni du côté gaulois. La solution face à toute menace est la potion magique.

Parfois, un album fait varier un invariant, explorant ainsi les limites du genre. *Le Fils d'Astérix* (1983) introduit un personnage de bébé, ce qui va contre ce temps arrêté qui exclut les naissances et interdit toute vie matrimoniale à Astérix et à Obélix. Certes, à la fin, la morale est sauve, le bébé déposé à la porte d'Astérix n'est pas son fils naturel. Le temps ne redémarre pas avec cet enfant qui va sortir de la série. Mais l'économie de l'album en est bouleversée. Le glissement vers le feuilleton s'accompagne d'un glissement vers un autre type de dessin, la caricature. Bien sûr, le bébé tombe par erreur dans la potion magique et sème la terreur dans le village, mais il échappe ainsi au méchant Brutus qui le cherche pour le tuer. Car le bébé est Césarion, le fils de César et Cléopâtre. Sa

mère l'avait envoyée en secret au village gaulois pour assurer sa sécurité contre les conjurés. Astérix, qui l'a sauvé, va donc se retrouver l'ami de César. À la fin de l'album, Cléopâtre surgit avec son char – celui d'*Astérix et Cléopâtre*. Brutus n'assassine pas César, et le prétendu « *Tu quoque mi fili* » est ici prononcé par César pour envoyer Brutus sur le front de l'Est. Le village gaulois est une machine à arrêter le temps, en créant un espace narratif sans temporalité, il peut faire coexister le complot de Brutus, qui aura lieu plus tard, avec le bébé Césarion pas encore né, dans l'année 50 avant J.-C., et changer le cours de l'Histoire.

Le dénouement du *Fils d'Astérix* marque un écart maximal. L'entente est parfaite entre César, Cléopâtre et tout le village gaulois. Normalement ils devraient tous, y compris César et Cléopâtre, s'attabler à un festin de sangliers, au centre du village sous la lune. Mais un tel banquet sonnerait la fin de la résistance, car le lien d'hospitalité que créerait cette convivialité nierait la frontière infranchissable qui sépare l'espace gaulois et l'espace romain, et que réaffirme dans chaque album le banquet final, entre soi. Le chef des Romains ne peut pas participer à

« cet heureux épilogue » qui redéfinit le village gaulois dans son identité pure, c'est-à-dire non romanisée.

Heureusement, le village a été brûlé par les soldats romains, et il n'est pas possible d'y célébrer le banquet final. Celui-ci aura bien lieu, mais sur la galère de Cléopâtre en pleine mer, en terrain neutre. César s'engage en plus à faire reconstruire le village à l'identique par ses troupes du génie. Il ne se sera rien passé. La série est encore sauve. Mais que conclure de cette résistance qui n'exclut pas de pactiser avec l'ennemi et même de festoyer avec lui ? Comment peut-elle être valorisée et héroïsée ? Le seul idéal d'Astérix et de ses amis est de conserver intact leur village d'autrefois. La présence des Romains à l'extérieur, bien loin de menacer sa survie, est le prétexte pour conserver un ordre immanent et éternel. De temps à autre, nos petits Gaulois amochent quelques soldats romains pour maintenir la fiction d'une menace de l'autre. La résistance est une notion ambiguë : aux victimes, ou prétendues victimes, d'une superpuissance – ou d'un tyran –, tout est permis sous prétexte de résister, le terrorisme comme la xénophobie active. ✱

> « La présence des Romains à l'extérieur, bien loin de menacer la survie du village, est le prétexte pour conserver un ordre immanent et éternel »

64

★ HEINZ **WISMANN** ★

↓

Un mur sépare Berlin depuis quatre ans lorsque paraît en République fédérale d'Allemagne, en 1965, le premier album retraçant la lutte du village retranché d'*Astérix*. En adaptation libre : les Romains figurent les Américains et les Goths les Allemands de l'Est. Mais dans les années 1970, à partir des aventures d'*Astérix et les Goths,* très populaires outre-Rhin, les albums vont contribuer au rapprochement franco-allemand en dynamitant les clichés mutuels sur les deux peuples et en les unissant dans une résistance commune à la mondialisation en marche. L'éclairage d'Heinz Wismann, le plus français des philosophes allemands.

Propos recueillis par Sven Ortoli

# Astérix et les Goths
# mit Uns...

« **Dans l'Allemagne de l'après-guerre,** plus précisément en République fédérale, la bande dessinée avait mauvaise presse : il s'agissait pour l'essentiel de *comics* américains, que les intellectuels considéraient avec un mépris aristocratique, mais que les milieux populaires n'appréciaient guère davantage. À cette époque, les livres bon marché qui avaient du succès dans les gares étaient plutôt des historiettes – sans illustrations – de cow-boys ou de princesses. Pour le dire en bref, les Allemands ne lisaient pas de BD. Autant dire qu'à mon arrivée en France en 1958, le monde de l'illustration m'était étranger à tel point qu'aujourd'hui

encore, face à un texte illustré, ou bien je lis, ou bien je regarde les images, mais le processus n'est jamais simultané ; c'est un problème cérébral. En somme, je n'ai pas été éduqué pour, et mes compatriotes non plus. Mais tout cela a changé à partir de 1965 avec la publication en feuilleton dans *Lupo*, magazine pour la jeunesse édité par Kauka Verlag, des *Aventures d'Astérix le Gaulois.* Sauf qu'il n'était plus gaulois ! Si les dessins étaient bien signés par Uderzo, les textes, eux, n'avaient plus grand-chose à voir avec ceux de Goscinny. Rebaptisés *Siggi und Babarras,* Astérix et Obélix parcouraient non plus la Gaule mais la Natolie, c'est-à-dire le pays de Nato, en français l'Otan. Panoramix avait été rebaptisé Konradin pour évoquer la figure du chancelier Konrad Adenauer, les occupants romains figuraient les Américains, et les Goths les Allemands de l'Est. En somme, *Astérix* avait été entièrement

germanisé et investi des problèmes politiques de l'Allemagne de l'Ouest. Pour les lecteurs de cette première adaptation allemande, le village des Gaulois, c'était la République fédérale occupée par les Américains et menacée par les Russes ! Inutile de dire que Goscinny et Uderzo ont saisi la justice et obtenu gain de cause.

Par la suite, les auteurs ont trouvé un éditeur sérieux, Ehapa Verlag, qui a publié les premières traductions fidèles d'*Astérix* en 1968. Cette deuxième phase a été le début d'un succès foudroyant et, ce faisant, d'un jeu spéculaire avec la France. C'était l'époque où le philosophe Jürgen Habermas soutenait que la RFA était en train de s'amarrer à l'Occident, et il n'était plus question de transposer l'opposition de la Résistance et de l'Occupation à la situation allemande. En revanche, il y avait une vraie curiosité pour la France et l'esprit français, et il s'est produit →

# SIGGI UND DIE GOLDENE SICHEL

**Traduction de l'encadré accompagnant le début de *La Serpe d'or*
dans sa version détournée en 1966 :**

«Au tournant de l'époque, les Germains doivent se défendre désespérément
contre des indésirables arrivant de toute part. Toute l'Allemagne est occupée,
à l'exception du petit village de Bonnhalla situé sur la rive droite du Rhin.
C'est là qu'une poignée de guerriers se dressent contre l'écrasante domination
de l'ennemi. Ces irréductibles Germains ne sont pas vraiment importunés
par les envahisseurs. "Nous pourrions peut-être bien avoir besoin d'eux comme alliés,
ou comme gladiateurs", se disent les envahisseurs. Bonnhalla n'est guère qu'un poste
oublié. On s'est depuis longtemps résigné à enterrer l'idée d'une réunification entre
frères et sœurs du reste de l'Allemagne sous le chêne de Donar[1]. [...]»

Dans l'album, on note que le fabricant de serpes s'appelle Wernher von Braunfel (dont le
nom fait écho à celui de Wernher von Braun, ex-patron du programme nazi V2 et futur
responsable de la Nasa), et que Siggi -Astérix- suggère à Babarras-Obélix de «cesser de trim-
baller sur son dos comme un menhir son complexe de culpabilité».

1. Arbre légendaire vénéré par les Chattes (peuplade germanique).

BONNHALLA

« On digère l'altérité dans un ricanement :
chacun rit jaune, parce que le ridicule de
l'Autre est le reflet du nôtre »

Extraits de la première traduction allemande non officielle d'*Astérix et les Goths*, où le village des héros – rebaptisé Bonnhalla, contraction de Bonn, la capitale de la RFA, et du Walhalla, le paradis des religions nordiques – se situe désormais sur les bords du Rhin *(carte à gauche)*. Les Goths, eux, parlent un patois parodiant le parler des Allemands de l'Est *(ci-dessus)*.

→ à ce moment-là quelque chose d'un peu similaire à ce qui s'est passé en France après la défaite de 1870 face aux Prussiens. À l'époque, des Français patriotes sont partis en Allemagne faire leurs études pour mieux connaître leur vainqueur. De la même manière, dans ces années 1960 et 1970 où, dans une certaine mesure, les Français faisaient de la politique pour l'Allemagne et l'Allemagne de l'économie pour la France, les Allemands se sont intéressés à la culture populaire française dans un mouvement qui leur a appris à s'identifier aux Français, avec, en arrière-plan, l'idée d'une solidarité objective dans un monde hostile et la possibilité d'une résistance commune contre la mondialisation en marche. Ce moment, qui

a duré *grosso modo* jusqu'à la fin des années 1970, a vu *Astérix* jouer un rôle capital parce que l'humour est essentiel pour désamorcer les préjugés. Cela a commencé avec la traduction en 1970 d'*Astérix et les Goths* selon un processus dialectique : le stéréotype exacerbé provoque le rire, et le rire triomphe du préjugé. On digère l'altérité dans un ricanement : chacun rit jaune, parce que le ridicule de l'autre est le reflet du nôtre.

Bien sûr, cette sympathie allemande pour *Astérix* peut sembler de prime abord très étrange entre anciens *ennemis héréditaires* ! Mais à y regarder de près, Astérix le Gaulois n'est pas plus un Français se réclamant de l'héritage latin qu'un Gallo-Romain fidèle à l'Empire, puisqu'il lutte contre Rome ! Voilà pourquoi il paraît tellement familier et tellement sympathique aux Allemands, historiquement fédéralistes et régionalistes. Ils peuvent s'identifier à lui sur le mode de la

résistance d'une Grèce des cités contre l'Empire romain. Il n'est pas anodin que le réseau ferroviaire Intercity de la Deutsche Bahn desserve la constellation des principautés germaniques du XIXe siècle, que les Allemands perçoivent comme un héritage des cités grecques, intimement lié à leur essence nationale. *A contrario*, le réseau ferroviaire français suit en quelque sorte le tracé idéal des voies militaires romaines, et l'on imagine mal le TGV aux portes du petit village armoricain… Pour faire court, on peut dire que le succès d'*Astérix* touche à une sensibilité allemande très vive, marquée par le respect du local. D'où, d'ailleurs, dans l'Allemagne des années 1980 et à l'occasion des protestations radicales contre le nucléaire, civil et militaire, une phase de détournements et de contrefaçons, qui traduisaient l'accroissement du rayonnement d'*Astérix*, où l'on voyait par exemple des Obélix allemands attaquant les premières centrales nucléaires… C'est la rançon de la gloire, et si l'on considère le fait brut mais sidérant que 120 millions d'exemplaires des albums d'*Astérix* se sont vendus en Allemagne, il n'est sans doute pas exagéré d'affirmer qu'*Astérix* a joué un rôle essentiel dans le processus de réconciliation initié, sur le plan politique, par le général de Gaulle et le chancelier Konrad Adenauer. » ✱

**HEINZ WISMANN (1935-)**
Né à Berlin, philologue et philosophe, c'est un helléniste et spécialiste d'herméneutique, directeur d'études émérite à l'École des hautes études en sciences sociales. Ses recherches portent notamment sur les traditions et les cultures européennes ainsi que sur l'histoire de la pensée allemande. Il est notamment l'auteur de *L'Avenir des langues : repenser les humanités* (Le Cerf, 2004) et de *Penser entre les langues* (Albin Michel, 2012).

★ NICOLAS **ROUVIÈRE** ★

# Le progrès en chantier

↓

Victimes d'une manœuvre d'encerclement du pouvoir romain qui entreprend un vaste programme immobilier aux portes de leur village, les irréductibles Gaulois organisent une résistance opiniâtre. Forêt dévastée, publicité commerciale outrancière, esclaves exploités, folie inflationniste ponctuent bientôt l'avancée du chantier du *Domaine des dieux.* Face au «progrès» à marche forcée, la résistance a des accents très contemporains, juge Nicolas Rouvière, universitaire spécialiste d'*Astérix.*

**L'album d'Astérix** *Le Domaine des dieux* **(1971)** soulève la question de la domination à travers trois thèmes principaux : l'urbanisme, le syndicalisme et le choc des cultures.

Avec son urbanisme fonctionnel, qui affiche les valeurs du géométrisme et de la standar-

disation, le complexe urbain qui se construit à proximité du village gaulois impose frontalement les valeurs de la modernité. C'est une allusion à Parly 2, un luxueux ensemble immobilier construit entre 1968 et 1978, non loin du château de Versailles, qui devait à l'origine recevoir le nom de Paris 2 ; mais la capitale s'opposa à cette dénomination, de même que César refuse de donner le nom de Rome II au domaine, car «*il y a une seule Rome*». Les auteurs raillent l'idyllisme des publicités immobilières. Les délais de transport sont transposés à l'échelle antique, ce qui

crée un décalage absurde : le mari cadre supérieur, s'il travaille à Rome, «*revient chez lui toutes les six semaines pour passer une bonne nuit*». Les sangliers qui «*gambadent dans les allées du parc*» sont un cliché destiné à satisfaire les fantasmes bucoliques des citadins. La promotion d'une «*vie saine et heureuse, digne de celle d'un dieu*», mise sur la flatterie du client, dont on vante la supériorité de la position sociale. Le pouvoir organise le bien-être d'une catégorie de ses sujets, en lui faisant miroiter une vie confortable au sommet de la société, en échange de son dévouement au

**NICOLAS ROUVIÈRE (1973-)**
Maître de conférences en littérature à l'université Stendhal de Grenoble (ESPE). Depuis sa thèse sur *Astérix*, soutenue en 2004 et publiée sous le titre *Astérix ou les lumières de la civilisation* (PUF, 2006, prix *Le Monde* de la recherche universitaire), il a publié notamment *Astérix ou la parodie des identités* (Flammarion, 2008). Son étude psychanalytique intitulée *Le Complexe d'Obélix* (PUF, 2014) interroge le rôle de la folie ordinaire dans l'univers d'*Astérix*.

travail. Mais tout repose en réalité sur la reproduction d'une logique de domination. Le but affiché est de réduire le village à n'être plus qu'une *«amphoreville condamnée à s'adapter ou à disparaître»*. Et l'on pense à la politique d'urbanisation des années 1970, qui vide progressivement les centres urbains de ses couches populaires et développe des cités dortoirs en périphérie des villes.

Défenseurs de la liberté, contre toute logique de domination sociale, les Gaulois viennent en aide aux esclaves du chantier. Ces derniers développent un curieux mouvement syndical et revendiquent un aménagement de leurs conditions de travail *«à la chaîne»*. Si leur cause gagne la sympathie du lecteur, un autre mouvement syndical apparaît sous un jour plus négatif: celui des légionnaires romains, gagnés par une soudaine hargne individualiste autogestionnaire contre leur hiérarchie. Les voilà qui se comportent en petits dieux en ce nouveau domaine: avec la morgue d'une assemblée de copropriétaires que nulle autorité ne semble pouvoir maîtriser.

Le choc des cultures, créé par l'arrivée des touristes et l'introduction massive de la monnaie, déstructure la communauté villageoise. Le prix du poisson quadruple et tout le monde ne rêve plus que d'affaire commerciale. Plus grave encore: attirés par l'artisanat «authentique», les touristes romains marchandent les emblèmes tutélaires que sont les menhirs d'Obélix, le bouclier du chef ou encore la marmite du druide. Or il s'agit d'objets sans prix, dont la valeur symbolique est *irréductible* à une quelconque valeur marchande. Les fondements symboliques du village menacent de s'écrouler. Les auteurs d'*Astérix* mettent alors en scène une réaction de pure violence. Obélix se rue sur un couple de touristes romains comme une bête

sauvage assoiffée de sang. On découvre *a posteriori* qu'il s'agit d'un jeu, mais l'illusion est parfaite. Obélix mime la violence de son chien quand on s'en prend aux racines. Voici donc le risque d'une réaction fondamentaliste lorsque les montages symboliques d'une société sont menacés dans leur fondement. Marcel Gauchet analyse le fondamentalisme comme *«une riposte identitaire à une modernité occidentale qui arrive de l'extérieur comme une agression[1]»* dans les sociétés traditionnelles. Ici, la critique des auteurs vise la modernité occidentale elle-même. Car le système social semble frappé de perversité, à travers le slogan du client-roi qui cache la dangereuse utopie du sujet-roi.

## « Vous aimeriez vivre comme un dieu ? Alors… le Domaine des dieux est pour vous ! Une vie saine et heureuse, digne de celle d'un dieu ! »

*«L'impliable en marbre»,* qui décrit la journée type d'un locataire type, vante l'assouvissement immédiat des désirs dans tous les compartiments de l'existence. Les habitants peuvent même donner le fouet au précepteur de leur enfant, en cas de désaccord lors des *«réunions parents-esclaves»*. La publicité impériale cautionne un système hors castration, donnant libre cours au narcissisme des sujets. On comprend alors pourquoi Astérix inscrit Assurancetourix parmi les locataires du Domaine. Une seule nuit à supporter son horrible chant suffit à faire fuir tous les touristes. Face à lui, il ne peut y avoir de sujet-roi se prenant pour un dieu. Sa voix notifie au contraire un point limite qui dépasse chacun absolument et contraint à entrer dans l'économie de la perte.

La dogmatique commerciale du sujet-roi ne semble pas représenter un modèle symboliquement viable. Ce modèle s'affiche à l'extérieur comme une économie de la non-limite, un système désymbolisé. Le lauréat de la loterie du Cirque ne montre aucun enthousiasme à l'idée de s'implanter dans cette cité utopique. Mais s'il refuse son lot, il sera condamné à être mangé par les lions du cirque. Ainsi, les sujets n'ont d'autre choix que d'accepter les nouvelles valeurs du sujet-roi, dans leur violence symbolique et psychique, car l'essentiel est que le pouvoir poursuive son expansion.

Ainsi, en mettant en scène chez l'autochtone Obélix une réaction feinte de pure violence face au nouveau credo de la modernité, l'album *Le Domaine des dieux* invite à se garder d'une analyse autocentrée du fondamentalisme. Si l'on veut comprendre dans toute sa complexité le rejet que suscitent les sociétés modernes occidentales, on ne peut s'abstenir de questionner leur fondement de violence interne, à la fois économique et symbolique, ainsi que les pathologies qu'elles entraînent pour leurs propres sujets. ✱

1. Régis Debray et Marcel Gauchet, « Du religieux, de sa permanence et de la possibilité d'en sortir », *Le Débat* n° 127, nov.-déc. 2003, pp. 7-8.

70

* ALAIN **CAILLÉ** *

# « Astérix de tous les pays, unissez-vous ! »

↓

On ne peut plus vivre à l'écart du monde dans son village : l'économie-monde – comme l'Internet, son vecteur –, fait fi des barrières, et l'État-nation lui-même y résiste à peine, constate Alain Caillé. Pour le sociologue et économiste, inspirateur du *Manifeste convivialiste*, il est urgent de fonder une philosophie politique à la hauteur des bouleversements de la mondialisation. Et de fédérer à travers les continents une société alternative pacifiée propre à articuler le local et le global. Démonstration.

**Ils sont sympas, Astérix et ses amis :** Obélix, bien sûr, mais tous les autres aussi, dans leurs faiblesses et leurs ridicules qui les rendent profondément humains : Assurancetourix, Panoramix, Abraracourcix etc. Même les Romains, au fond, sont plutôt de bons bougres, juste un peu plus ridicules

que nos fiers Gaulois bons vivants. Ils se laissent gentiment rosser et tourner en bourrique. Ils dominent le monde, leur monde mais, *nolens volens*, ils laissent en définitive survivre le petit village gaulois dans le registre qu'il affectionne, celui de la socialité primaire, des relations de personne à personne tissées par la circulation des dons et des contre-dons : qu'il s'agisse de dons mal venus et dont personne ne veut, comme les chansons d'Assurancetourix, ou de dons aussi encombrants que les menhirs qu'Obélix échange auprès de qui veut bien.

C'est, brossée gentiment, une société première, une petite société du type de celle identifiée par Marcel Mauss : dans le village gaulois, l'argent n'a pas une importance majeure ; la potion magique est distribuée gratuitement, Astérix ne se fait pas payer, et la communauté imaginée par Uderzo et Goscinny semble, en somme, reposer sur un schéma maussien du type « donner, recevoir, rendre ». Quant à l'empire romain qu'ils décrivent, il correspond peu ou prou à un deuxième registre de société qu'on pourrait appeler la grande société, qui réunit des

**ALAIN CAILLÉ (1944-)**
Sociologue, économiste et anthropologue, Alain Caillé s'est intéressé à l'économie à travers le modèle établi par Marcel Mauss dans son *Essai sur le don* (1925). Directeur de la *Revue du Mauss* (Mouvement anti-utilitariste dans les sciences sociales), il promeut un art de vivre ensemble ou convivialisme. Auteur de *Critique de la raison utilitaire* (La Découverte, 1989) et, avec J.-E. Grésy, de *La Révolution du don. Le Management repensé à la lumière de l'anthropologie* (Seuil, 2014).

gens qui ne se connaissent pas et rassemble des étrangers pour dire qu'ils ne sont pas si étrangers que ça, parce qu'ils partagent une foi, une religion ou une communauté politique communes.

Au fond, ce monde mis en scène par Uderzo et Goscinny nous convient, nous convenait bien. Parfaitement, même. Nous étions heureux qu'il existe une grande société-monde, comme la société romaine du temps d'Astérix, avec ses tavernes, ses jeux Olympiques, tout son commerce et même, au sommet, ses complots pour le pouvoir et la gloire. Nous voulions bien en être d'ailleurs peu ou prou partie prenante, pourvu qu'elle nous laisse aussi et encore vivre dans l'entre-nous propre à la socialité primaire.

# CONTRE LA SOCIÉTÉ-MONDE

Le problème c'est que cet équilibre entre la grande société et la petite, qui autorisait quelques petites victoires momentanées des petits sur les grands, réelles ou imaginaires, cet équilibre a vécu. Ce n'est plus la grande société romaine (qui était déjà en son genre une société-monde) que les Astérix, que nous voulons tous être, au moins un peu, ont à affronter, ce n'est pas des armées romaines et de leurs légionnaires un peu bedonnants qu'il faut tenter de triompher. La grande société est devenue très grande société-monde, mégacapitalisme rentier et spéculatif, et les légionnaires se sont transformés en ordinateurs surpuissants qui calculent à la nanoseconde près les meilleures occasions de placement financier de l'instant. Contre eux, aucune potion magique n'est opérante, aucun coup de poing d'Obélix ne réglera quoi que ce soit. Même l'État-nation, si cher aux Gaulois modernes, ce village multiplié à la puissance n, doit rendre les armes.

Nous pourrions nous en accommoder, cesser de résister et nous contenter de jouir de tous les avantages que nous retirons de la globalisation, pas minces… si seulement ils étaient assurés et pérennes. Or il n'en est rien. La condition pour tirer profit de la globalisation est d'en jouer pleinement le jeu en s'assurant en permanence un taux de croissance du PIB, c'est-à-dire du pouvoir d'achat monétaire, le plus important possible. Or ce jeu-là ne pourra plus être joué très longtemps. Comme le reconnaissent de plus en plus d'économistes, les pays les plus riches ont déjà largement entamé leur potentiel de croissance significative du PIB (sauf ceux qui bénéficient le plus de la spéculation financière) ; c'est déjà vrai également pour certains pays émergents (le Brésil, par exemple), et, en tout état de cause, la généralisation de forts taux de croissance, écologiquement insoutenable, est une menace de plus en plus lourde pour la survie physique de la planète et de toutes les sociétés qui la peuplent, minuscules, petites, moyennes, grandes ou immenses.

Il n'est donc plus possible de survivre dans un petit village gaulois miraculeusement préservé des lames de fond financières qui submergent le monde. La perspective qui nous reste est dès lors assez simple à deviner, sinon à réaliser. Soit nous nous laissons submerger, soit nous nous mettons en position d'imaginer une riposte à l'empire sans nom et sans visage, infiniment plus puissant que toutes les potions de Panoramix. À condition de comprendre qu'il est illusoire et sans espoir de raisonner à l'échelle d'un seul village et de prendre conscience de ce qu'il existe à travers le monde des dizaines ou des centaines de milliers de villages comparables, des dizaines ou des centaines de millions d'Astérix en puissance, tous désireux de mener une vie simplement mais pleinement humaine. C'est leur mode de coexistence, la grande société-monde alternative qu'ils pourraient bâtir ensemble, qu'il nous faut désormais inventer. Le premier obstacle à surmonter pour aller dans cette direction est celui du manque d'une philosophie politique explicite, partageable et universalisable sans faire fi des différences régionales, religieuses ou culturelles mais, au contraire, en leur accordant pleine valeur[1]. Plus spécifiquement, le constat que nous sommes désormais obligés de faire c'est que, quelque mérite qu'on puisse leur reconnaître par ailleurs, les grandes doctrines de la modernité, libéralisme et socialisme, comme leur dérivés, communisme et/ou anarchisme, ne sont plus à la hauteur de notre époque. D'abord parce qu'elles ne nous disent pas comment penser l'articulation du local, du national, de l'international et du global. Et, surtout, parce que toutes les quatre subordonnent l'avènement d'une société pacifiée à l'abondance matérielle, et donc à une croissance sans terme assignable. Or c'est précisément elle qui fait ou va faire défaut. Il me semble qu'aujourd'hui, la question politique centrale est celle qui a été si bien formulée par Marcel Mauss : comment faire en sorte que les hommes puissent *«s'opposer sans se massacrer et se donner sans se sacrifier»* ?

C'est la réponse à cette question qu'il faut maintenant trouver en lui donnant une portée mondiale. Et pour la mettre en œuvre, on ne voit qu'un seul slogan : «Astérix de tous les pays, unissez-vous !» ✱

1. *Manifeste convivialiste. Déclaration d'interdépendance*, ouvrage collectif, Le Bord de l'eau, 2013. Cf. aussi *www.lesconvivialistes.fr*, et A. Caillé, *Pour un manifeste du convivialisme*, Le Bord de l'eau, 2011.

> **« Il existe à travers le monde des centaines de millions d'Astérix en puissance, tous désireux de mener une vie simplement et pleinement humaine »**

« ASTÉRIX DE TOUS LES PAYS, UNISSEZ-VOUS ! »
_Par Alain Caillé

71

LE CENTRE D'ATTRACTION
_Par Jean Baudrillard

72

### MULTIPLIER POUR RÉGNER

Dans *Le Domaine des dieux* (1971), César veut encercler les Gaulois d'un immense ensemble immobilier destiné à les faire se dissoudre dans l'Empire. Le piège se referme, le prix des poissons d'Ordralfabétix quadruple en quelques jours et la *pax romana* des locataires du Domaine attise la discorde au village. Aidés par la magie du druide Panoramix, les Gaulois échappent *in extremis* à la tentation du bonheur consumériste.

Le centre commercial Parly 2 inauguré en novembre 1969,
au Chesnay (Yvelines), était ceint de 278 bâtiments comportant
7 500 logements, avec 8 piscines, 7 tennis et une église.

JEAN **BAUDRILLARD**

# Le centre d'attraction

↓

18 000 habitants, 7 500 logements, 150 enseignes : à l'ouverture de ses portes, le 4 novembre 1969,
Parly 2 est l'utopie en acte d'une société de consommation triomphante. Est-ce un centre commercial ? Est-ce une ville ?
N'est-ce pas le centre-ville à venir ? Deux ans après cet acte inaugural, les regards de Jean Baudrillard et du
tandem Goscinny et Uderzo se posent sur cette chimère, préfiguration d'espaces publics où l'on se noie ou se dissout.

**« La synthèse de la profusion et du calcul, c'est le drugstore.** Le drugstore (ou les nouveaux centres commerciaux) réalise la synthèse des activités consommatrices, dont la moindre n'est pas le shopping, le flirt avec les objets, l'errance ludique et les possibilités combinatoires. [...] N'entendons pas que la culture y est "prostituée" : c'est trop simple. Elle y est *culturalisée*. Simultanément, la marchandise (vêtement, épicerie, restaurant, etc.) y est culturalisée elle aussi, car transformée en substance ludique et distinctive, en accessoire de luxe, en élément parmi d'autres de la *panoplie* générale des biens de consommation. "Un nouvel art de vivre, une nouvelle manière de vivre, disent les publicités, la quotidienneté dans le vent : pouvoir faire du shopping agréable, en un même endroit climatisé, acheter en une seule fois les provisions alimentaires, les objets destinés à l'appartement et à la maison de campagne, les vêtements, les

fleurs, le dernier roman ou le dernier gadget, tandis que maris et enfants regardent un film, dîner ensemble sur place, etc." Café, cinéma, librairie, auditorium, colifichets, vêtements, et bien d'autres choses encore dans les centres commerciaux : le drugstore peut tout ressaisir sur le mode kaléidoscopique. [...]
Le drugstore peut devenir une ville entière : c'est Parly 2, avec son shopping-center géant, où "les arts et les loisirs se mêlent à la vie quotidienne", où chaque groupe de résidences rayonne autour de sa piscine-club qui en devient le pôle d'attraction. Église en rond, courts de tennis ("c'est la moindre des choses"), boutiques élégantes, bibliothèque. La moindre station de sports d'hiver reprend ce modèle "universaliste" du drugstore : toutes les activités y sont résumées, systématiquement combinées et centrées autour du concept fondamental d'"ambiance". [...]

Nous sommes au point où la "consommation" saisit toute la vie, où toutes les activités s'enchaînent sur le même mode combinatoire, où le chenal des satisfactions est tracé d'avance, heure par heure, où l'"environnement" est total, totalement climatisé, aménagé, culturalisé. Dans la phénoménologie de la consommation, cette climatisation générale de la vie, des biens, des objets, des services, des conduites et des relations sociales représente le stade accompli, "consommé", dans une évolution qui va de l'abondance pure et simple, à travers les réseaux articulés d'objets jusqu'au conditionnement total des actes et du temps, jusqu'au réseau d'ambiance systématique inscrit dans des cités futures que sont les drugstores, les Parly 2 ou les aéroports modernes. » ✷

Jean Baudrillard, *La Société de consommation, ses mythes, ses structures,* Denoël, 1970, pp. 21-24.

**JEAN BAUDRILLARD (1929-2007)**
Sociologue et philosophe, il a enseigné à l'université de Nanterre à partir de 1968. Premier théoricien de la société de consommation et penseur de la disparition du réel sous les simulacres technologiques, il a stigmatisé la société de consommation avant d'élargir son champ de réflexion à l'essor du virtuel. Il est l'auteur de nombreux ouvrages, dont *Oublier Foucault* (Galilée, 1977), *De la séduction* (Galilée, 1980), *La Pensée radicale* (Sens & Tonka, 1994), et *Pourquoi tout n'a-t-il pas déjà disparu ?* (L'Herne, 2007).

VALÉRIE **CHAROLLES**

Aux ravages de la spéculation immobilière évoqués dans *Le Domaine des dieux* ont succédé les dérives irrationnelles d'une économie de marché basée sur une croissance désormais révolue. Si la Vieille Europe ne veut pas devenir un vaste magasin d'antiquités riche en animations folkloriques, il serait temps, juge l'économiste et philosophe Valérie Charolles, de tracer des chemins nouveaux en cessant de penser à court terme.

# La Bourse ou la vie ?

LA BOURSE OU LA VIE ?
_Par Valérie Charolles

**Dans** *Le Maître du haut château*, Philip K. Dick décrit un monde dans lequel Allemands et Japonais ont gagné la Deuxième Guerre mondiale. La culture américaine, ses objets quotidiens y sont devenus des éléments de folklore, recherchés pour leur étrangeté. C'est en cela que la victoire des forces de l'Axe est radicale: elle se mesure à l'anéantissement de cette civilisation, reléguée au rang de pièces de musée. Dans *Le Domaine des dieux* également, le village gaulois se transforme en magasin d'antiquités. À ce moment-là, la victoire des Romains est totale.

C'est aujourd'hui le sort prêté à la «Vieille Europe»; elle se vit maintenant de plus en plus souvent comme un «village gaulois», le musée d'un monde passé. La question est évidemment de savoir de quel côté se trouvent barbares et civilisés. Qui est le barbare de qui, pour reprendre Montaigne? Bref, de quel côté se situe la vie?

C'est l'irruption du marché, de l'économie, qui tourne la tête des congénères d'Astérix, donnant – transitoirement – aux Romains l'arme d'une domination acceptée par les vaincus. L'un des intérêts de la bande dessinée (et de la science-fiction) est de pouvoir faire des raccourcis et de désigner d'un trait ce qui cloche.

En quelques cartouches, Goscinny et Uderzo montrent qu'il se joue sur ce marché un jeu de dupes. Le cours du poisson en donne la mesure. Le jeu erratique des prix, le comique de la valeur des monnaies désignent les travers de l'école néoclassique qui commence alors à dominer la théorie économique. L'ouverture à l'international et l'ajustement immédiat des taux y sont censés garantir «l'optimum» du marché; ils aboutissent en fait à un fonctionnement irrationnel, les fondamentaux et la projection dans le temps long sur lesquels repose l'économie classique étant mis de côté.

Si l'économie s'impose dans *Le Domaine des dieux,* une figure est absente: le banquier. À l'instar d'Anglaigus, bâtisseur de César, le banquier est devenu l'architecte de l'espace économique. Il y a donc du nouveau sous le soleil: le marché va plus vite, ses lois sont plus complexes; elles nous enserrent de plus près sans que nous voyions comment nous en extraire.

Dans *Astérix,* tout finit par se régler à coups de potion magique. Mais dans la vraie vie? Pendant des décennies, nous avons vécu d'une potion magique, la croissance. Les problématiques de développement durable et le niveau de vie que nos pays ont atteint devraient nous montrer qu'il s'agit d'un mirage du passé, sur lequel le monde politique continue à tabler, plaçant le pays dans une situation difficile en termes financiers.

La solution n'est pas pour autant celle de Panoramix, à savoir arrêter le cours des choses le plus longtemps possible. Ce serait admettre qu'il n'y a d'autre choix que de s'adapter ou disparaître; ce serait croire que nous sommes condamnés, soit à la folklorisation, soit à accepter un présent ancré à jamais dans l'urgence de la finance contemporaine. Nous ne pourrons sortir de cette double impasse qu'en faisant du temps un allié, en nous projetant sur la durée. Cela fait partie des choses qui sont entre nos mains. ✳

VALÉRIE CHAROLLES (1969-)
Économiste et philosophe. Conseillère référendaire à la Cour des comptes, elle a enseigné à l'Institut d'études politiques. Elle a écrit *Le Libéralisme contre le capitalisme* (Fayard, 2006), *Et si les chiffres ne disaient pas toute la vérité ?* (Fayard, 2008) et *Philosophie de l'écran. Dans le monde de la caverne* (Fayard, 2013), sur le bouleversement de la vie sociale, économique et politique par la vie numérique.

75

# POTION À VOLONTÉ

*«Non, pas toi Obélix!»*

↓

Le secret de la potion magique? Seul Panoramix le connaît, mais on peut raisonnablement affirmer que si elle permet aux poings d'être le dernier rempart du droit au sein du village gaulois, sa vertu régulatrice est d'abord due au fait qu'elle est plus contenant que contenu: chacun y mettra ce qu'il souhaite. Philosophe politique, psychanalyste, économiste ou anthropologue, tous démontrent ici l'étonnante plasticité de la marmite!

★ PASCAL **TARANTO** ★

# Gnon, gnon et gnon !

La bagarre serait-elle une manière philosophique d'exorciser les passions tristes? Dans une vigoureuse défense de l'empoignade, le philosophe et boxeur Pascal Taranto juge que la force violente mais jamais sanglante des Gaulois s'oppose au non-droit de l'Empire romain. Et recommande de ne pas s'abstenir, le cas échéant, de quelques salutaires mises aux poings.

76

GNON, GNON ET GNON !
_Par Pascal Taranto

**PASCAL TARANTO (1965-)**
Professeur à l'université de Nantes et spécialiste de philosophie anglaise. Boxeur, haltérophile, il a dirigé avec Denis Moreau un livre intitulé *Activité physique et exercices spirituels. Essai de philosophie du sport* (Vrin, 2009). Il est aussi l'auteur de *Memento mori, philosophie du K.-O.* (Éditions M-Éditer, 2010).

**Michel Serres a récemment considéré que la BD *Astérix* véhicule une idéologie fasciste**, pour la raison que tous les problèmes s'y règlent sans la médiation du Droit, mais plutôt par le direct du droit. L'intimidation et la violence physique sont en effet caractéristiques de régimes oppressifs où l'on rappelle constamment dans l'espace public que la force fait le droit. Or

si *Astérix* fait l'apologie de quelque chose, ce n'est certainement pas de la violence. Indépendamment du ressort comique indiscutable que constitue l'invraisemblable avalanche de baffes, gnons, châtaignes, mandales, et des onomatopées qui accompagnent la déformation des visages en compression de César, il est clair que cette «violence» en «Tchac!» et en «Pif!» se désamorce elle-même. En effet, elle ne détruit pas les corps mais les exalte, elle ne soumet pas la volonté mais fait de nous des sujets, et elle réassure le champ social au lieu de le détruire. Ce n'est donc pas une apologie de la violence, mais de la bonne vieille *bagarre*. «Je cogne donc je suis»: tel est le paradigme d'*Astérix,* ou d'*Homo castagnus*. Se bagarrer, c'est exister, c'est résister, c'est, enfin, paradoxalement, pacifier. Se battre, c'est exister comme corps. Quand le souffle se réduit à une pompe asthmatique et

désespérée, que les muscles brûlants frôlent la tétanie et qu'une abondante sueur vous offusque la vue, rien ne donne dans ce pressentiment de la mort imminente une impression de vie plus intense que cet effort: vous êtes un corps submergé de sensations. Si la bagarre ne devait être que le joyeux chaos des cours de récré, où nos corps s'empoignent et s'épuisent, il y aurait dans ces jeux de mains plus de franchise et d'humanité que dans les conventions hypocrites de la vie sociale qui remplacent ce rapport direct par des détours plus violents et plus abstraits. Un bon *Fight Club,* →

GNON, GNON ET GNON!
_Par Pascal Taranto

77

78

« Renoncer absolument à se servir de ses poings, c'est préparer le triomphe tranquille de l'iniquité et s'en remettre à la vérité du rapport de force »

→

et l'on se sent renaître au monde (prévoir cependant beaucoup d'arnica).

Se battre, c'est résister comme sujet. Le paradigme d'*Astérix* est le contrepoint de la *pax romana,* fondée sur la conquête et la guerre, c'est-à-dire sur le droit du plus fort. La bagarre est la forme, spontanée et anarchique, que prend la résistance à ce qui vous nie et veut vous soumettre. Les poings sont le dernier rempart du droit, les ultimes atomes de la justice. Renoncer absolument à s'en servir, c'est préparer le triomphe tranquille de l'iniquité et s'en remettre à la vérité du rapport de force. Il faut se tenir prêt à s'opposer physiquement à celui qui veut imposer sa volonté, car on ne peut s'en remettre à l'arbitrage du droit là où n'existe plus de convention commune. Cet état de nature est celui des nations entre elles, mais aussi, potentiellement, celui des individus qui se trouvent, à un certain

moment, dépourvus de l'assistance de la loi. Le courage consiste à se tenir debout, les poings levés, et à dire «non», quoi qu'il advienne.

## ÉGAUX DEVANT LA BASTON

Se battre, c'est aussi, curieusement, préparer la paix en simulant la «guerre». À l'intérieur du village gaulois, la baston est une régulation traditionnelle, qui normalise la société en résolvant ses tensions. Elle aplanit les conflits et les hiérarchies, égalise tous les rapports sociaux et réinstaure le dialogue au lieu de le rompre: après une bonne peignée vient le moment du banquet. On dira que la liquidation «castagnarthique» des tensions par le gnon est

justement le propre de la violence fasciste, qui ne laisse pas au discours le soin d'accomplir ses médiations pacificatrices, sur le mode du: «On cogne d'abord et on discute ensuite» – Obélix *dixit.* Ce raccourci des arguments frappants a quelques avantages car la force, dit Pascal, «*est très reconnaissable et sans dispute*». Dans le village, hommes et femmes, jeunes et vieux, tous sont égaux devant la baston, qui célèbre l'unité retrouvée après l'apparence de la dissension, ce qu'on pourrait appeler la dialectique de la castagne ou le coup de poing dans l'Hegel.

Ce paradigme semble peu transposable des cases de la BD au froid quadrillage de la ville moderne, où tout est fait pour que les individus entrent le moins possible en contact. Tout éloge de la bagarre semblerait un éloge des passions tristes de la colère et du ressentiment. «*Si par malheur au cœur de l'accélérateur, je rencontre une particule qui me mette de sale humeur…*» *La Bombe humaine* que chantait le groupe Téléphone menace d'exploser chaque fois qu'on prend le métro, traverse une rue ou se collette avec une administration obtuse. S'il est vrai que l'on peut se croire d'autant plus civilisé que l'on parle au lieu de cogner, il n'est pas certain qu'on ait gagné au change à remplacer les baffes par des insultes venimeuses; les injures affectent plus que les coups, car l'affront n'est jamais lavé que par un poing final. Si les mots n'avaient cet avantage d'annuler la différence des gabarits, on se prendrait à rêver d'ordalies modernes: provoquer sur le ring le voisin bruyant du dessus nous épargnerait sans doute quelques années de dépression nerveuse et parfois une publicité malheureuse dans la rubrique des faits divers. Le gagnant paierait la bière au lieu de mettre son voisin dedans. Qui sait enfin si l'étreinte vigoureuse de la lutte, riche d'un potentiel érotique indiscutable, ne mettrait pas en sus les apophtegmes christiques «aimez vos ennemis» et «tendez l'autre joue» dans une nouvelle lumière, plus «gnon-gnon» que «gnangnan»? L'amour qui fait boum, ou la nouvelle charité… ✳

↓

Pour l'anthropologue Marc Augé, la politique française perpétue le petit monde d'*Astérix*; on y recherche encore un avatar d'Obélix, un homme providentiel qui incarnera le dernier recours de la Nation face aux tourments. Potion contre toutes les formes de césarisme, les aventures d'*Astérix* désacralisent sous une forme intemporelle ces hommes providentiels qui sont tombés sur la tête.

★ MARC **AUGÉ** ★

# Avé César !

↓

Au spectacle du petit village politique français en constante ébullition on pourrait être tenté de penser que décidément les Gaulois seront toujours les mêmes ou que les auteurs d'*Astérix* avaient si bien réussi leur caricature que celle-ci reste toujours aussi pertinente. Et en tirer des conclusions sévères, pessimistes, résignées ou amusées sur les particularités de la politique française.

On pourrait même être tenté d'aller un peu plus loin et se demander si la politique française n'a pas toujours connu et exploité le thème du «dernier recours», qui serait l'équivalent de la potion magique du druide Panoramix. La potion magique, en politique, c'est le recours à l'homme providentiel: de Gaulle dénonçait en son temps le «*régime des partis*» comme Marine Le Pen aujourd'hui l'«*UMPS*». Le détail des critiques peut varier selon l'actualité du moment, mais pour l'ensemble c'est l'impuissance bavarde et querelleuse des politiques qui est en cause, leur manque simultané de lucidité et de volonté. Comme Obélix, l'homme providentiel ou la femme providentielle est tombé(e) dans la marmite de potion magique par accident et en tire ou pense en tirer une force

particulière, échapper aux travers des professionnels à courte vue et incarner la France éternelle. Il ou elle n'a que faire des contingences médiocres dans lesquelles se débat l'ensemble de la classe politique.

Le dernier recours est l'expression simultanée de la permanence et de la révolte, du «C'est toujours pareil» et du «Il faut que ça change». Beaucoup se mettent à vouloir l'incarner et, insensiblement, dans notre société de l'image, faute d'être vraiment tombés dans la marmite, ils commencent tous à ressembler à des personnages de bande dessinée, de Mélenchon le méchant bougon, à Montebourg le barde au verbe haut, en passant, bien entendu, par le «*capitaine de pédalo*» moqué par le premier et accusé de toujours mentir par le second.

Mais faut-il regretter que la politique en France évoque de plus en plus une bande dessinée ou plutôt se féliciter que cette bande dessinée existe, avec ses subtils anachronismes, nous permettant de mettre à distance nos défauts, nos ridicules et nos inconséquences? C'est en effet parce que les

personnages d'*Astérix* sont dès le départ conçus comme anachroniques qu'ils se prêtent à toutes les formes d'autodérision – caricatures prêtes à l'emploi et aisément adaptables, engins tout-terrain et redoutables. L'anachronisme d'*Astérix* est total et délibéré. *Astérix* est «hors temps», ce qui lui permet de concerner toute actualité. Le petit village d'Armorique n'a rien d'historique, ni César, ni les légions romaines. *Astérix*, c'est la forme *a priori* de toute dérision possible, aussi irrespectueuse de l'histoire d'hier que de celle d'aujourd'hui.

Admettons donc au moins, pour tempérer le pessimisme ambiant, que l'Europe, et singulièrement la France, s'est donné par avance avec *Astérix* le moyen d'un recul salutaire et d'un regard désacralisant; l'esprit de clocher, les rodomontades ou la mauvaise foi du discours politique seront toujours mis à mal par sa magie. ✶

**MARC AUGÉ (1935-)**
Anthropologue, écrivain, directeur d'études à l'EHESS. Auteur de *Non-Lieux. Introduction à une anthropologie de la surmodernité* (Seuil, 1992). Dans *Où est passé l'avenir?* (Panama, 2008, rééd. Seuil, 2011), il déplore que la société soit privée de fortes visions du futur et que la modernité ne soit plus un projet tourné vers l'avenir. Dernier ouvrage paru: *Les Nouvelles Peurs* (Payot, 2013).

★ PHILIPPE **RAYNAUD** ★

# César, les Beatles et la Ve République

CÉSAR, LES BEATLES ET LA Ve RÉPUBLIQUE
_Par Philippe Raynaud

80

Entre opposition à l'impérialisme américain, libéralisation des mœurs, essor de la spéculation immobilière et éclosion des Beatles, les *Aventures d'Astérix* livrent un fidèle portrait au présent des « trente glorieuses ». Pour le philosophe Philippe Raynaud, c'est la méconnaissance du contexte historique qui amène certains à juger conservateur l'esprit d'une époque qui se vivait comme progressiste.

Malgré sa popularité jamais démentie depuis l'apparition du village gaulois et de ses héros en 1959, malgré son succès international même, la figure d'Astérix n'a jamais acquis la dimension universelle de celle de Tintin. Alors que l'œuvre d'Hergé est une référence familière aux philosophes français qui, de Michel Serres à Jean-Luc Marion, Rémi Brague et Luc Ferry, rivalisent

une interprétation nuancée, critique et impeccablement démocratique et libérale de la légende de l'Ouest américain. Il n'en reste pas moins qu'elle est un bon indice du problème que pose une figure comme celle d'Astérix pour l'idéologie contemporaine : *Astérix* n'est pas «réactionnaire» mais il incarne assez bien la permanence, dans une phase déjà révolue de la modernisation, d'attitudes que l'on tenait encore pour naturelles et qui sont aujourd'hui la cible d'une démocratie plus acariâtre que vraiment radicale.

Les bandes dessinées de Goscinny et Uderzo apparaissent au début de la Ve République et accompagnent fidèlement l'évolution sociale du pays. On y voit des bardes anglais qui ressemblent aux Beatles *(Astérix chez les Bretons)* et incarnent une musique «sauvage» qui séduit les jeunes gens de Lutèce mais qui effraie les vieux *«plix»* (ploucs) d'Armorique *(Astérix et les Normands)* ; les Romains se livrent à des orgies organisées par le traiteur Fellinus *(Astérix chez les Helvètes)* mais le théâtre d'avant-garde paraît assez ridicule *(Astérix et le Chaudron)* ; la spéculation immobilière met en danger la sociabilité du village gaulois *(Le Domaine des dieux)* que menace plus encore le développement sauvage de l'économie de marché *(Obélix et compagnie)*. On sait aussi que la résistance obstinée du village gaulois à ce qui va devenir l'Empire romain évoque irrésistiblement les deux moments de la geste gaulliste – contre l'occupation nazie et contre le protecteur américain.

Mais il me semble aussi que l'on ne peut comprendre ce succès rapide et durable si on ne voit pas qu'il est contemporain d'un moment très précis de l'histoire de la démocratie française : la France où apparaît *Astérix* est un pays où la première vague de démocratisation de l'enseignement secondaire a largement diffusé la culture scolaire sans remettre encore en question sa légitimité fondamentale, où les débuts de l'intégration européenne rapprochent des peuples qui continuent de se voir comme distincts et où la libéralisation des mœurs s'accommode encore de relations assez «traditionnelles» entre deux sexes qui ne sont pas encore des «genres».

Le succès d'*Astérix* n'aurait pas été possible si la culture latine (à commencer par celle des pages roses du dictionnaire) n'avait pas été familière à un lectorat assez large pendant que les rudiments de la langue anglaise, popularisés par Assimil, passaient dans la culture commune ; il repose largement sur une vue «culturaliste» des nations européennes et des régions françaises, qui montre des Corses ombrageux et peu portés sur le travail, des Helvètes obsédés de propreté et adeptes de la neutralité ou des Massiliens hâbleurs et joueurs de pétanque. Mais ces «identités» ne sont pas vraiment figées, qui combinent délibérément des traits empruntés à des époques irréductibles : les «Normands» sont de farouches conquérants qui n'aiment que la cuisine à la crème et donnent des réponses de Normand, et les Bretons attendent de toute éternité qu'Astérix leur rapporte le thé qu'ils mettront dans leur *«chaude eau»* agrémentée d'un *«nuage de lait»*. Là où Goscinny et Uderzo défendaient une vue globalement optimiste du monde des «trente glorieuses», nos contemporains croient percevoir chez eux la nostalgie conservatrice d'un monde immobile parce que la nature humaine demeure la même sous les changements. Ce conservatisme est réel, mais il n'est pas fermé à la modernité, pas plus que ne l'était la France des années 1960. Il est porteur d'une vision civilisée des relations internationales, où le goût de l'indépendance ne s'accompagne d'aucun projet conquérant et n'empêche pas, finalement, les farouches Gaulois de travailler pour l'intérêt commun des peuples soumis à l'autorité de Rome et même de les défendre contre les Barbares. Il pourrait en ce sens être de quelque intérêt pour les philosophes politiques d'aujourd'hui. ✳

en érudition tintinologique, celle de Goscinny et Uderzo intéresse plutôt les sociologues ou les historiens du temps présent, qui se plaisent à y lire les réactions des Français devant la modernisation de leur pays.

D'aucuns croient par ailleurs déceler dans la saga d'*Astérix* quelque chose comme une idéologie nationaliste ou réactionnaire, qui leur semble assez éloignée des idéaux contemporains. Cette irritation paraît très injuste, si l'on tient compte de l'ensemble de l'œuvre de Goscinny, génial artiste d'origine juive qui a su, par exemple, donner dans les albums de *Lucky Luke* auxquels il a contribué

**PHILIPPE RAYNAUD (1952-)**
Professeur de philosophie politique à l'université Paris-II et à l'Institut d'études politiques de Paris. Spécialiste du libéralisme et de la pensée républicaine, il a écrit notamment *La Fin de l'école républicaine* (avec Paul Thibaud, chez Calmann-Lévy, 1990), *Le Juge et le Philosophe* (Armand Colin, 2008) et *Trois Révolutions de la liberté : Angleterre, États-Unis, France* (PUF, 2009).

82

L'ENTREPRISE FRANÇAISE, VILLAGE GAULOIS
_Par Philippe d'Iribarne

★ PHILIPPE **D'IRIBARNE** ★

# L'entreprise française, village gaulois

Dans le cadre de l'entreprise, les Français, frondeurs et sceptiques devant l'autorité, n'obéissent
qu'en renâclant et font volontiers passer le souci du travail bien fait avant le respect des règles internes.
Mais lorsque l'intérêt général est en jeu, tous se rangent sous le pavois de leur chef.
Philippe d'Iribarne brosse un tableau de l'entreprise française partagée entre l'anarchie et la discipline.

« Les alliés des Romains d'aujourd'hui sont les apôtres des conceptions du management venues d'ailleurs, comme s'il existait des méthodes de gestion universelles… »

**Un regard critique sur la France et ses entreprises s'arrêterait** sans doute volontiers au plus apparent: une certaine incapacité à coopérer de manière ordonnée, un certain mépris pour les règles communes, un rapport à la fois soumis et frondeur à l'autorité. De nos jours, les rivalités entre services, entre siège social et usines, entre métiers, un respect extérieur pour les directions combiné à un solide scepticisme envers leurs initiatives font les beaux jours de nos entreprises. Mais alors, comment arrivent-elles à se maintenir dans la concurrence mondiale ? C'est qu'on y trouve, comme dans le village d'Astérix, un ressort qui est la source à la fois de leurs divisions et de leurs performances.

Les Français ont l'impression d'avoir à opérer sans trêve le choix fondamental qui s'impose à celui qui se trouve confronté à une force supérieure. Le refus de se laisser acheter, de céder aux forces corruptrices, s'oppose à la lâche complaisance envers ceux qui peuvent vous être utiles. Cette opposition est sans cesse mise en scène dans la manière dont la société française se raconte son histoire, à travers des personnages exemplaires qui ont refusé de se soumettre, fût-ce au prix de leur vie, avec, en contrepoint, quelques figures méprisables qui ont préféré servir leur vainqueur. Astérix hérite d'Alésia et de Vercingétorix, tels que la France du XIXᵉ siècle les a érigés en mythe: dans sa fière résistance à l'envahisseur romain, il fait preuve des mêmes vertus, sauvant l'honneur et retardant l'inéluctable victoire romaine.

MAIS ABRARACOURCIX, NOTRE CHEF…

PAS DE DISCUSSION ! AU TRAVAIL !

**PHILIPPE D'IRIBARNE (1937-)**
Polytechnicien et ingénieur des Mines, il est directeur de recherche au CNRS. Ses travaux portent sur l'influence des différentes cultures sur les entreprises et les économies qui s'y enracinent. Il a notamment publié *La Logique de l'honneur. Gestion des entreprises et traditions nationales* (Seuil, 1989), qui analyse les liens entre la culture nationale et la culture locale d'entreprise en France, aux États-Unis et aux Pays-Bas, ainsi que *L'Étrangeté française* (Seuil, 2006 ; rééd. Points Essais, 2008).

# CONSCIENCE AU TRAVAIL

C'est sur ce mode que le sens de l'honneur à la française s'exprime aujourd'hui encore dans le métier à travers le concept de responsabilité, qui n'a pas du tout le même sens d'un pays à l'autre. Il en va, par exemple, de la responsabilité d'un Néerlandais de respecter strictement les règles explicites et détaillées qui régissent le fonctionnement collectif de son entreprise. Le Français, au contraire, n'hésitera pas à les enfreindre, par fidélité à un tout autre type de norme: la tradition de son métier. L'obéissance aveugle est perçue comme avilissante par les Français, chacun estimant n'avoir de comptes à rendre en dernier ressort qu'à sa propre conscience du travail bien fait. L'impératif néerlandais de réunions paisibles en vue d'obtenir un consensus avant toute décision contraste donc fortement avec une tradition française de confrontation ouverte. Une certaine violence verbale dans l'affirmation d'un point de vue sera ressentie en France comme un gage de sincérité, et donc de légitimité. Aux Pays-Bas, un consensus ne pourra être remis en cause que par un nouveau consensus. En France, un accord signé la veille peut être unilatéralement dénoncé le lendemain.

Et pourtant, cette anarchie relative des rapports est tempérée par une conscience profonde de l'intérêt général. Qu'un danger vienne seulement menacer la collectivité, chacun reprend son poste et le village se rassemble fièrement autour de son chef, dont l'autorité devient provisoirement peu contestable… jusqu'au retour à la normale.

Aujourd'hui comme hier, les Romains sont dans la place. Leurs alliés sont tous ces Français honteux de n'être que Français, apôtres «internationaux» des conceptions du management venues d'ailleurs, comme s'il existait des méthodes de gestion universelles… Le malaise des cadres est là pour témoigner du contraire. Mais la résistance s'organise. ✳

★ SERGE **TISSERON** ★

# Unix face aux rixes…

Le psychiatre Serge Tisseron relève plus d'une figure de résilience, individuelle et collective,
chez les héros du village gaulois. Là où les Romains multiplient coups bas et manœuvres personnelles,
les Gaulois solidaires adoptent face aux épreuves la formation de la… tortue romaine.

**Même si vous n'avez jamais ouvert
un album d'*Astérix,*** vous connaissez la
fameuse potion magique qui permet aux habitants du non moins fameux «petit village
gaulois» de surmonter avec succès toutes les
épreuves, en l'occurrence les légions de César
et leurs perfides alliés. Il se trouve que ce petit
peuple qui se remet de toutes les difficultés est
apparu au même moment qu'un nouveau
concept scientifique, celui de «résilience». La

psychologue américaine Emmy Werner en est
souvent présentée comme la «mère». Dans les
années 1954-1955, elle a suivi 698 enfants
hawaïens, de la naissance à l'âge adulte. Or
201 d'entre eux avaient grandi dans des
conditions catastrophiques, et tout semblait
concourir à ce qu'ils présentent plus tard des
difficultés psychologiques et sociales graves.
Mais, surprise: vingt ans plus tard, près d'un
tiers d'entre eux étaient devenus heureux et
intégrés! Que s'était-il donc passé? Le mot
anglais *resiliency,* déjà présent dans la langue
américaine, fut choisi pour désigner ce qui
était alors une énigme.
Hélas! comme la «résilience» d'un matériau
est ce qui lui permet de retrouver sa forme

initiale après un choc, l'énigme fut vite remplacée par l'idée qu'il existerait des «personnalités résilientes», capables, elles aussi, de
résister aux chocs. L'une des premières métaphores proposées en France pour promouvoir
ce concept est d'ailleurs celle d'un sous-marin
«résilient» qui poursuit sa route, quels que
soient les obstacles. Preuve de son succès, un
jeu vidéo de cette époque, *Pirates,* mettait en
scène un navire de guerre invulnérable appelé
*Le Résilient…* Cela ne vous évoque pas Obélix?
Lui non plus ne dévie jamais de sa route,
même lorsqu'il doit traverser une armada de
légionnaires! Et ce n'est pas la seule analogie, puisque si certains chercheurs défendaient l'idée d'un déterminisme génétique à

l'origine de la résilience, d'autres soutenaient le rôle d'un environnement précoce facilitateur: Obélix tombé dans la potion magique quand il était petit!

La résilience envisagée comme qualité personnelle avait des relents d'élitisme: il y avait ceux qui la possédaient… et les autres. Heureusement, on s'est vite aperçu qu'on avait oublié le rôle de l'environnement, et l'idée a fait son chemin qu'on pouvait devenir résilient à tout âge à condition d'y être aidé. C'est ici qu'arrive Panoramix. Il distribue la fameuse potion, comme un tuteur ou un *coach* dispense les bons conseils. Plus besoin d'être tombé petit dans la marmite, comme Obélix! Mais le mot de résilience n'a pas arrêté là son évolution. Après avoir été définie comme une qualité personnelle, puis comme un processus facilité par l'environnement, la résilience a été considérée, à partir des années 2000, comme une force – ou, si on préfère, une aptitude – que chacun possède à un degré ou un autre. Et, très vite, cette force a été pensée dans sa dimension collective. Il ne s'agit plus d'aider des individus à devenir résilients, mais de permettre aux membres d'une collectivité de le devenir ensemble. Or là aussi, les habitants du petit village gaulois ont quelque chose à nous apprendre: leur indéfectible solidarité! Car que seraient-ils sans le lien puissant qui les unit les uns aux autres? Ce n'est pas par

hasard que chaque album se termine par un banquet festif dans lequel tous, ou presque, se retrouvent, rient et boivent ensemble en mangeant l'inévitable sanglier rituel! Et quand il y a zizanie, elle ne dure guère: la réconciliation vient vite. Chez les Romains, au contraire, les divisions sont partout. Dans *Astérix le Gaulois*, le centurion Caïus Bonus veut se procurer la recette de la potion magique afin de devenir César à la place de César. Dans *La Serpe d'or,* le gouverneur Gracchus Pleindastus utilise ses pouvoirs administratifs pour transgresser les lois qu'il est chargé de faire appliquer. Ou encore, dans *Le Bouclier arverne*, un commandant romain confie une mission d'espionnage à un incapable par esprit de vengeance. Tout, dans le camp des ennemis des irréductibles Gaulois, n'est qu'ambitions personnelles et sinistres coups bas!

Bien au contraire, quand Astérix se voit dans l'incapacité de rembourser l'or qui a été volé pendant qu'il en avait la garde, dans *Astérix et le Chaudron*, il envisage aussitôt de se désigner comme le seul coupable. «*Comme ça,*

*l'honneur du village sera sauf»*, dit-il plus loin. Cette façon d'assumer la pleine responsabilité de ses actes pour tenir les menaces à l'écart du groupe correspond à une composante essentielle de la résilience collective. La résilience fait sa mue: elle passe des «moi» au «nous». Ce n'est plus la résilience de chaque individu qui est mise en avant, mais celle du groupe. En pratique, il ne s'agit plus d'informer des citoyens sur les moyens de développer leur résilience personnelle, mais d'évaluer et de traiter les vulnérabilités du groupe auquel ils appartiennent. Penser en termes de résilience collective implique de mettre en place une éducation à l'engagement personnel, de s'assurer que les responsables sont intégrés et ont la confiance des populations, de développer partout des partenariats et de favoriser la création de réseaux afin d'inclure tous les acteurs. Nous sommes loin du commandement romain hiérarchisé et de ses dirigeants qui s'entravent et s'accusent mutuellement d'être responsables de tous leurs échecs! Des dirigeants plus vrais que nature… ✱

**SERGE TISSERON (1948-)**
Psychiatre, docteur en psychologie, chercheur associé HDR à l'université Paris-VII. Il anime un site Internet, *www.sergetisseron.com*. Créateur du site *memoiredescatastrophes.org*, il est l'auteur, notamment, de *La Résilience* (Que sais-je?, PUF, 2007).

UNIX FACE AUX RIXES…
_Par Serge Tisseron

85

« Plutôt qu'à se blâmer eux-mêmes, les individus ont forcément tendance à blâmer soit la société dans son ensemble, ce qui ne les engage à rien, soit d'autres individus qui leur paraissent particulièrement nocifs pour des raisons faciles à déceler. [...] Les persécuteurs finissent toujours par se convaincre qu'un petit nombre d'individus, ou même un seul peut se rendre extrêmement nuisible à la société tout entière, en dépit de sa faiblesse relative. »

**RENÉ GIRARD,**
*Le Bouc émissaire*, Grasset, 1982 (rééd. Livre de Poche,
Biblio essais, 1986), pp. 24-26.

87

# LA MORALE DE L'HISTOIRE *Ils sont humains, après tout...*

↓

*Castigat ridendo mores*? Uderzo et Goscinny ne châtient pas, en tout cas pas seulement, les mœurs en riant, à la manière d'Horace. Il y a bien sûr des personnages de la comédie humaine dans *Astérix* – des vaniteux, des fourbes, des traîtres –, et l'album *La Zizanie* dépeint avec maestria, explique Frédéric Worms, les effets politiques de la crise morale. Mais il y a d'abord et surtout une superbe description du triomphe de la bonté sur la calomnie. On peut alors passer au banquet final et célébrer le retour à l'équilibre cosmique et moral.

★ FRÉDÉRIC **WORMS** ★

# Obélix et la résistance de la bonté

OBÉLIX ET LA RÉSISTANCE DE LA BONTÉ
_Par Frédéric Worms

88

« Le village ne gagne jamais seulement contre César et "les Romains" mais contre lui-même et ses dissensions possibles »

Les personnages d'*Astérix* se trouvent toujours aux prises avec l'épreuve d'un vice qui menace
la communauté, note Frédéric Worms. Il relève que pour en triompher dans *La Zizanie,* ce n'est pas l'intelligence
– personnifiée par Astérix – mais la bonté qui gagne, avec Obélix, incarnation levinassienne de la résistance.
Morale et humour : on a percé le secret de Goscinny.

**FRÉDÉRIC WORMS (1964-)**
Philosophe. Spécialiste de Bergson,
il vient de publier *Penser à quelqu'un*
(Flammarion, 2014). *Voir sa bio. p. 16.*

**Dans tous les albums d'***Astérix,*** il y a un motif héroïque, une aventure au cours de laquelle se révèle un vice qui vient briser des relations entre les hommes et souvent entre des amis. La mécanique de l'histoire comprend donc non seulement une dimension politique (César, la guerre, la résistance, les héros…) mais une dimension morale et précisément l'épreuve d'un vice «ordinaire», de sorte que la réponse est toujours non seulement militaire (la bagarre) et politique (le village) mais morale (l'amitié et la concorde). Et qui plus est, pas seulement morale en un sens étroit puisqu'elle touche profondément au bonheur humain. Le village ne gagne jamais *seulement* contre César et «les Romains» mais contre lui-même et ses dissensions possibles : tout y est fragile moralement, y compris entre Astérix et Obélix pourtant liés d'une amitié indéfectible, mais, du coup, tout peut être rétabli à travers les relations morales ; cette dimension relationnelle qui est au cœur des albums fait du «village gaulois» avec ses «caractères», l'œuvre d'un grand moraliste doublé d'un humoriste exceptionnel. C'est la conciliation des deux qui est géniale.

Par exemple, au début des *Lauriers de César,* l'ivresse d'Obélix et d'Abraracourcix est drôle, et même hilarante (autant que délirante), mais elle les embarque dans une aventure (même si on se doute qu'elle va bien se finir) absurde et démesurément risquée.

OBÉLIX ET LA RÉSISTANCE DE LA BONTÉ
_Par Frédéric Worms

**89**

OBÉLIX ET LA RÉSISTANCE DE LA BONTÉ
_Par Frédéric Worms

Astérix ne représente pas seulement ici la raison et la sagesse, mais aussi l'amitié inquiète et soucieuse ! Il a honte du comportement de ses amis devant la belle-famille de Lutèce, mais il a aussi réellement peur des conséquences : l'aventure commence (comme toujours) avec une défaillance, une faute minime en apparence (Goscinny, comme Montaigne, dénonce les vices ordinaires) mais dont les conséquences sont extrêmes, hyperboliques !

De même au début d'*Astérix et les Goths,* où l'on voit Panoramix se laisser aller à l'un de ces vices ordinaires qui font le malheur des relations morales entre les hommes : l'orgueil ! Il va en être sévèrement puni, puisque les Goths profiteront de sa distraction pour le kidnapper.

La critique morale touche également les Romains. Ce n'est pas qu'ils soient pires, en tant qu'êtres humains, que les Gaulois, mais, pour eux, le contexte militaire vient toujours rappeler une circonstance en quelque sorte aggravante. La peur devient lâcheté, qui elle-même vient ridiculiser la guerre.

De même, dans *Le Combat des chefs,* la méchanceté et la perfidie sont renforcées par la rivalité et le pouvoir.

Et il est révélateur que le chef et les soldats que tout doit séparer (l'un ordonne et les autres obéissent, l'un est bien nourri et seul, les autres sont nombreux et maigres) soient réunis par là. Il y a, comme chez Alain dénonçant dans *Mars ou la guerre jugée* les passions du pouvoir après la Première Guerre mondiale, la critique des petits chefs et la résistance ironique du troufion, qui est aussi un citoyen.

Mais ce qu'il y a de plus fort à mon goût est dans *La Zizanie,* album dans lequel on voit les effets politiques de la crise morale. Le moteur, secondaire dans d'autres albums, se trouve ici au premier plan. Et au fond, ce qui est amusant c'est de voir qu'il y a des personnages qui résistent à ces vices, ou qui les utilisent en n'en étant pas dupes. Ainsi César, qui cherche un procédé pour réduire le petit village gaulois : l'un de ses conseillers lui suggère de semer la zizanie et un autre lui apprend qu'il connaît un spécialiste qui sème, partout où il passe, le monstre vert de la discorde (avec cette trouvaille des bulles contaminées par le vert…). César est tout de suite impressionné, mais il est vraiment convaincu lorsque lui-même, sur un seul mot de Tullius Détritus, est au bord de tomber dans le conflit avec ses conseillers

OBÉLIX ET LA RÉSISTANCE DE LA BONTÉ
_Par Frédéric Worms

au lieu de les dominer, jusqu'au moment où il prend soudain conscience du piège. Goscinny n'est pas seulement dans le comique au premier degré. Il ne se moque pas seulement de ceux qui tombent dans le vice et le ridicule, il va plus loin, grâce à des personnages comme César. C'est la première figure de la résistance.

# ILS SONT FOUS, CES HUMAINS !

La deuxième est extraordinaire. Tullius Détritus est arrivé et a déjà semé la zizanie presque partout en apportant un cadeau à Astérix comme s'il était le chef. Le jeu des circonstances fait qu'Astérix veut montrer à Abraracourcix qu'il n'a pas invité le Romain vicieux à déjeuner et qu'ils n'ont pas mangé ensemble. Lorsqu'ils entrent dans la cabane, Obélix a évidemment tout mangé, Abraracourcix ne peut plus croire Astérix, et la discorde éclate entre Astérix et Obélix. Démonstration de l'aspect contagieux de la zizanie ; comme dans *Le Barbier de Séville* de Beaumarchais et son fameux air de la

calomnie, celle-ci est un poison qui se répand tout seul. Détritus n'a plus rien à faire : il a largué son poison et le mal se répand, et l'on voit qu'il pourrait se répandre à l'infini ; c'est la guerre civile qui commence, et même Astérix et Obélix se disputent… Même Astérix, c'est-à-dire le héros… Obélix tombe aussi dans la zizanie ; mais lui, par sa bonté profonde, finit par y résister. Ce n'est pas l'intelligence qui résiste à la zizanie mais la bonté ; c'est encore plus profond (et là on est dans Levinas…) : la résistance au mal ne se fait pas par l'intelligence mais par la bonté. Obélix ne peut pas se fâcher avec son ami. D'où ces images où l'on voit le vert pâlir, progressivement, la taille des caractères diminuer, et puis ne reste qu'un petit point… C'est l'homme bon, le Juste des Nations, qui se dit que ce n'est pas possible… À ce moment-là, les Romains ont déjà perdu, l'album bascule. Avec ces deux qui résistent à la zizanie, la contagion cesse. Comme dans *La Peste* de Camus : toute la ville est contaminée sauf deux personnes, et cela suffit à changer le cours des choses. Panoramix peut conclure : «*Oui, ils sont braillards, tête-en-l'air, farfelus, mais il faut bien les aimer : ils sont humains*» – et Obélix d'ajouter : «*Ils sont* 

*fous, ces humains !*» C'est subtilement montrer au lecteur qu'il ne peut pas se contenter d'opposer les gentils aux méchants. Avec «*Ils sont fous, ces Romains !*», c'est l'Autre qui est fou ; avec «*Ils sont fous, ces humains !*», la folie est en nous, en chacun de nous ; chaque homme a cette folie-là, furieuse, meurtrière, destructrice… C'est vraiment le Goscinny moraliste. Obélix est très profond et réagit comme Montaigne : il ne peut s'excepter de cette folie, s'aperçoit qu'il est un homme comme les autres et s'inclut dans le jugement. Il ne juge pas de haut, en moraliste pur : il fait partie de ces humains qu'il juge, ayant lui-même failli sombrer… Mais au bout du compte, c'est lui qui a fait basculer l'album, par la résistance de sa bonté : il a le rôle capital que tient *L'Idiot* de Dostoïevski (la passivité en moins), un peu niais, mais profondément bon. Cette bonté profonde d'Obélix est la seule chose qui le fait résister à toutes les tentations. Impossible d'avoir prise sur une telle bonté. C'est vraiment l'Idiot : on ne peut guère le maîtriser par un calcul sordide. Pour Goscinny comme pour La Fontaine, la morale n'est pas seulement une leçon extérieure à la fable, mais son mobile et son grain de sel. ✳

✶ RAPHAËL **ENTHOVEN** ✶

# La vertu est-elle une langue morte ?

Raphaël Enthoven s'arrête sur une citation latine d'Ovide extraite d'*Astérix et les Goths.*
Il y est question de la lutte à laquelle se livrent en chacun le désir et la raison, la passion et la morale.
De quoi perdre son latin.

**Tous les dialogues d'***Astérix*** sont accessibles aux enfants…** Tous ? Non. Quelques bulles de latin résistent encore et toujours à la pleine intelligibilité du texte. Qu'elles viennent de l'Ecclésiaste, d'Ovide ou de César lui-même, les citations latines d'Astérix (*Donec eris felix, multos numerabis amicos* [1] ; *Acta est fabula* [2] ; *Audaces fortuna juvat* [3] ; *Vanitas vanitatum, et omnia vanitas* [4]…) font sourire, en général,

**RAPHAËL ENTHOVEN (1975-)**
Philosophe et écrivain, il présente *Le Gai Savoir* sur France Culture (en partenariat avec *Philosophie magazine*). Toutes ses émissions de radio depuis 2003 sont désormais disponibles en ligne sur *http://blog.franceculture.fr/raphael-enthoven/* Il anime aussi *Philosophie et Imaginez !* sur Arte. Il a publié, avec Jean-Paul Enthoven, chez Plon un *Dictionnaire amoureux de Marcel Proust* (prix Femina-Essai 2013).

par le décalage entre la trivialité d'une situation et la solennité du proverbe qu'elle semble dicter.

Mais il existe une exception à l'usage exclusivement drolatique et pontifiant du latin. On la trouve dans *Astérix et les Goths* : deux légionnaires sans scrupules décident, comme on s'empare du butin d'autrui, de livrer les «Goths» qu'ils n'ont pas eux-mêmes capturés : «*Ces deux Goths ont été capturés par un légionnaire qui a dû aller chercher du renfort pour les emmener au camp et toucher la récompense !*

«*Ce que nous allons faire, c'est nous emparer d'eux tout ficelés et bâillonnés, et c'est nous qui toucherons la récompense !*

— *Nous ne sommes pas honnêtes, hein ?*

— *Video meliora proboque deteriora sequor...* [Autrement dit : «Je vois le meilleur et je l'approuve, et pourtant, c'est le pire que je choisis...»]*»

Le syntagme apparaît d'abord dans les *Métamorphoses* d'Ovide , pour décrire la capitulation de Médée devant les sentiments inopportuns que Jason lui inspire : «*une force nouvelle pour moi m'entraîne contre mon gré ; mon désir me suggère une chose, ma raison une autre ; le meilleur parti, je le vois et je l'approuve, mais je choisis le pire...*» Et Spinoza le reprend (comme un adage du «poète») dans l'*Éthique* pour commenter l'impuissance d'un désir né de la raison face à «*un désir pour les choses qui nous sont présentement agréables*».

De fait. Combien de fois dans la vie avons-nous expérimenté cette forme de servitude qui consiste à faire, en toute connaissance de cause, ce qu'on sait être mauvais pour soi, sinon moralement indéfendable ? Comment

donner raison à Socrate dont l'optimisme est de croire que la méchanceté n'est jamais volontaire et qu'une mauvaise intention fond comme neige au soleil quand on l'expose à la lumière de la rationalité ? Ou comment approuver Descartes quand il déclare, contrairement à Ovide, qu'il «*n'y a point d'âme si faible qu'elle ne puisse, étant bien conduite, acquérir un pouvoir absolu sur les passions ?* » Autrement dit : comment donner à ce qu'on sait la puissance d'orienter ce qu'on fait ? Tout homme n'est-il pas dans la position d'Ulysse qui supplie ses compagnons de le livrer aux sirènes tout en sachant le sort qu'elles lui réservent ? Comment incorporer le savoir au point de s'y soumettre plus volontiers qu'au désir ? Comment donner une prise à l'abstraite injonction de conformer les actes aux pensées ? En un mot, comment sentir ce qu'on sait ? Et agir en conséquence ? Par la pratique. Ou la réitération. Par l'exercice patient, qui seul résorbe le hiatus entre le savoir et l'action. Combien d'efforts et quelle constance sont nécessaires à une telle maîtrise de ses affects !

Or, c'est exactement ce dont les légionnaires sont incapables, qui sacrifient sans hésiter la

camaraderie et l'honnêteté à la promesse d'un bénéfice. Nul ne leur a appris, dans les casernes, à ne pas céder à la tentation d'un comportement qu'ils savent pourtant indigne. C'est la raison pour laquelle l'emploi du latin n'est, ici, pas anodin ni seulement dicté par le souci de faire sourire, mais décisif. Comme il est décisif que celui des deux légionnaires qui comprend le moins vite («*Regarde ! Un gros et un petit ! C'est les Goths !!! — Célégo ?*») soit également celui qui cite Ovide tout en commettant son forfait. L'une des leçons d'*Astérix et les Goths*, cet album génial où les jeux d'ambition se mêlent constamment aux malentendus de traduction, c'est que, en l'absence de pratique, les commandements de vertu, fussent-ils dictés par la connaissance et non la crainte, résonnent en nous comme une langue étrangère. Ou une langue morte. ✳

> « Nul n'a appris à ces légionnaires, dans leur caserne, à ne pas céder à la tentation d'un comportement qu'ils savent pourtant indigne... »

1. « Tant que tu seras heureux, tu compteras de nombreux amis ». Ovide, cité in *La Grande Traversée*. 2. « La pièce est finie. » Auguste sur son lit de mort, cité in *La Serpe d'or*. 3. « La fortune sourit aux audacieux ». D'après Virgile (*Audentes fortuna juvat...*), cité in *Le Bouclier arverne*. 4. « Vanité des vanités, et tout est vanité. » Paroles de l'Ecclésiaste, I, 2, citées in *Astérix gladiateur* et *Astérix le Gaulois*. C'est aussi le nom d'un camp romain corse, Vanitasvanitatum, dans *Astérix en Corse*. 5. *Métamorphoses*, chap. VII. 6. Quatrième Partie. Proposition 17, scolie. 7. Comme il tend à l'exposer dans le *Ménon*. 8. *Traité des passions de l'âme*, § 50.

Dans la Gaule d'Astérix, tout finit par des chansons. L'immuable dernière case des albums montre le banquet où la communauté villageoise, réunie sous la voûte étoilée, chante et festoie dans la paix retrouvée. Le philosophe Michel Eltchaninoff discerne un écho du *Banquet* de Platon et une évocation de la fête rousseauiste des premiers âges de l'humanité dans ce moment de plénitude qui est aussi un point d'équilibre instable menacé par la marche inexorable du temps.

★ MICHEL **ELTCHANINOFF** ★

# La fin de l'histoire

s'achèvent rituellement sur la vignette du banquet, c'est que celle-ci exprime, au rebours de l'interrogation philosophique, la fin des doutes et des inquiétudes. Au moins pour un temps.

Il y a eu le *Banquet* de Platon : des hommes boivent du vin, se racontent des histoires et devisent joyeusement sous la lune d'Athènes. Parmi eux, des guerriers et un sage, Socrate, qui reste sobre. Le poète, Aristophane, participe aux réjouissances. Il y a le *Banquet* d'Astérix : des hommes, et parfois quelques femmes, boivent de la cervoise, se racontent des histoires et devisent joyeusement sous la lune d'Armorique et sous un ciel qui n'est pas près de leur tomber sur la tête. Parmi eux, des guerriers et un sage, Panoramix, qui reste sobre. Le poète, Assurancetourix, ne participe pas aux réjouissances. Chez Platon, on se pose des questions insolubles et on se dispute. Chez Astérix, on les résout et on se réconcilie. Si tous les albums d'*Astérix*

## AU CENTRE DU COSMOS

Cette case exprime le retour à l'ordre cosmique et moral. Elle dessine ce que doit signifier le bonheur en Gaule : familiarité et chaleur (le mot banquet vient de « banc », sur lequel on se serre). Elle dessine en quelques traits et en peu de mots la manière dont on peut remplir le vocable intimidant de Patrie, qui signifie ici « maison ». Il s'agit en effet de revenir au bercail après les longs

**MICHEL ELTCHANINOFF (1969-)**
Agrégé et docteur en philosophie, il est rédacteur en chef adjoint de *Philosophie magazine*. Il a coécrit un *Manuel de survie dans les dîners en ville* avec Sven Ortoli (Seuil, 2007) et *L'Expérience extrême* avec Christophe Nick (Don Quichotte, 2010). Il est aussi l'auteur de *Dostoïevski. Le roman du corps* (éd. Jérôme Millon, 2013). À paraître : *Dans la tête de Vladimir Poutine* (Actes Sud, 2015).

voyages. Après avoir exploré la froideur et les dangers du monde extérieur, on se rassemble autour du foyer, autour de cette immense flamme qui s'élève mystérieusement au milieu de la tablée. On y retrouve ses repères familiers. Pour Obélix, ce n'est pas compliqué, surtout après un séjour traumatisant au pays du bœuf bouilli et de la sauce à la menthe : *«Mon petit Idéfix et le sanglier rôti…! VIVE LA GAULE!»* La maison, ce sont aussi les habitudes, comme celle de taper sur Assurancetourix (*La Grande Traversée* : *«Mais ces considérations ne troublent pas longtemps nos Gaulois qui ont retrouvé, sous les étoiles, la chaleur de l'amitié et leurs petites habitudes»*). Les allusions aux dieux se font moins farce. Les Gaulois se retrouvent au centre du cosmos, sous les étoiles, dans une nuit (sauf deux, à la fin d'*Astérix gladiateur* et d'*Astérix et*

*Cléopâtre*) qui magnifie leur isolement mais aussi leur indestructible union. Quand ils ne sont pas allés explorer la Grèce ou l'Amérique, les Gaulois reviennent d'encore plus loin : on a failli leur voler la recette de la potion magique, on a séquestré l'un d'entre eux ou, pire, on a essayé de les diviser, de désintégrer leur fraternité. Le banquet scelle donc la réconciliation. Après les bouderies, les jalousies, les peines de cœur, *«tous ces soucis compliqués fondent sous les étoiles comme neige au soleil et c'est l'esprit tranquille que les Gaulois fêtent leur amitié retrouvée…»* (*Obélix et Compagnie*). La réconciliation est aussi, après les drames liés au désir de pouvoir ou à l'envie de dominer, un retour à l'égalité. La table ronde l'incarne.
Mais le banquet n'est pas seulement un rétablissement de l'harmonie. Il est aussi et

surtout un moment de plaisir bruyant. Rabelaisien, surabondant, hyperbolique, carnavalesque, éminemment populaire, absolument sans complexes, il n'a rien à voir avec la réception guindée qui souligne les hiérarchies et ne provoque d'autre plaisir que celui de la vanité. On y dévore, on y boit, on y danse. Même Idéfix a droit à son os. La blague de fin de banquet n'est pas honteuse. Obélix oublie ses complexes et réclame un «petit quelque chose» sur son biscuit (un sanglier), provoquant un rire qui ne réveille pas sa susceptibilité. Comme chez Rabelais, on refuse l'ascèse et la mauvaise

LA FIN DE L'HISTOIRE
_Par Michel Eltchaninoff

96

→ conscience. Le rire n'est pas moquerie mais éclat choral. Le plaisir est aussi celui du récit partagé. Chacun évoque ses souvenirs de voyage, qui révèlent ses propres obsessions. On comprend parfois que l'un des personnages va raconter aux autres convives les aventures qui viennent d'être offertes au lecteur. Obélix, lui, n'y arrive pas, pris de fou rire au souvenir des moments les plus drôles. Au plaisir du récit s'ajoute celui de l'éternel retour de la même histoire, comme celle que réclament les enfants à leurs parents avant de dormir.

Le banquet n'est même pas monotone car Goscinny et Uderzo installent un jeu de variations dans le retour du même. Le barde est exclu dès le deuxième album, mais pas toujours, et il est quelquefois remplacé dans le rôle du bouc émissaire par Cétautomatix le Forgeron (*Astérix et les Normands*). Il manque parfois quelqu'un : Astérix amoureux et rêvassant sur un arbre (*Astérix légionnaire*), ou le chef que Bonemine empêche de sortir s'amuser (*Le Bouclier arverne*). On invite des étrangers, même un Romain dans *Astérix chez les Helvètes,* dans une optique d'ouverture revendiquée («*ils réalisent que chaque voyage enrichit leur savoir et leur expérience*»). On incorpore les coutumes étrangères, comme le flamenco ou la sieste…

## BAS LES MASQUES !

Il y a quelque chose de rousseauiste dans ce banquet final. Comme la fête que Rousseau appelle de ses vœux dans sa *Lettre à d'Alembert,* il s'oppose aux divertissements artificiels, par exemple au théâtre, spécialité romaine. Le théâtre sépare les hommes entre spectateurs et acteurs. Ceux-ci, déguisés et masqués, jouent un rôle appris par cœur au lieu d'exprimer leur spontanéité. Ils sont les seuls à faire quelque chose, d'ailleurs, puisque le public les écoute passivement. D'un côté, les professionnels de l'amusement, de l'autre des spectateurs ayant payé leur place pour vivre par procuration. Contre la séparation des consciences et l'aliénation du loisir, Rousseau promeut une sorte de théâtre généralisé, qui se métamorphose en fête : plus de gradins face à une scène, plus de spectateurs face à des acteurs, plus d'évasion hors de la vie réelle dans la fiction. Mais un groupe en fusion qui jouit d'éprouver des émotions collectives. Avec le banquet, nous ne sommes plus dans la distance de la représentation, mais dans la proximité immédiate de tous avec tous. Personne ne met de masques, chacun mange, boit, rit et danse sans complexes. Le banquet d'Astérix, c'est Platon corrigé par Rousseau.

« Nous ne sommes plus dans la distance de la représentation, mais dans la proximité immédiate de tous avec tous »

Mais on retrouve aussi une grande proximité avec la vie villageoise que décrit Jean-Jacques dans son *Discours sur l'origine et les fondements de l'inégalité parmi les hommes*, ce fameux texte où il oppose l'état de nature à la vie sociale. Dans cet état de nature hypothétique, sorte d'étalon qui lui permet d'évaluer notre degré de dégénérescence, l'homme vit comme un animal. Il est seul, innocent, ne parle pas. Mais il existe un état intermédiaire, celui des premiers groupements humains : «*on s'accoutuma à s'assembler devant les cabanes ou autour d'un grand arbre ; le chant et la danse, vrais enfants de l'amour et du loisir, devinrent l'amusement ou plutôt l'occupation des hommes et des femmes oisifs et attroupés*» (*Second Discours*). Ce moment de grâce «*tenant un juste milieu entre l'indolence de l'état primitif et la pétulante activité de notre amour-propre, dut être l'époque la plus heureuse et la plus durable*» de l'histoire de l'humanité : pas de division du travail comme dans *Le Domaine des dieux,* pas de rivalité capitaliste comme dans *Obélix et Compagnie,* mais une existence où les hommes se contentent «*de leurs cabanes rustiques*» et se bornent «*à tailler avec des pierres tranchantes quelques*

*canots de pêcheurs ou quelques grossiers instruments de musique*» (*ibid.,* p. 231).
Ce moment est pourtant un point d'équilibre instable. Rousseau précise qu'il est voué à disparaître sous l'avancée inexorable du progrès, qui implique la concurrence, l'envie de se distinguer, la discorde, la domination, la sophistication des loisirs… C'est ce que suggèrent certaines images de banquet. Dans *Le Devin*, «*sous les étoiles et sous la protection de Toutatis, dieu de la tribu, de Rosmerta, la Providence, et de Cernunnos, dieu de la Nature, les Gaulois se réjouissent du présent, sans penser à l'avenir*». Tant mieux pour eux, car les choses changent… La France, à l'époque où Goscinny et Uderzo racontent les aventures d'Astérix, passe des «trente glorieuses» et de l'optimisme de l'après-guerre à la crise et au marasme. Le pays des banquets républicains s'éloigne. Il faudra bientôt inventer la Fête des voisins pour que les gens se parlent. Dans *Le Domaine des dieux,* l'un des albums qui reflète le mieux cette transformation, les Gaulois ont vaincu la plus insidieuse attaque des Romains – celle qui consistait à faire des Gaulois des consommateurs urbains comme les autres. Unis contre la fatalité du changement, les

Gaulois s'empiffrent et dansent, comme d'habitude. Ils se serrent les coudes et réintègrent même Assurancetourix. Mais, au premier plan, des sangliers les regardent déjà comme des survivances folkloriques. Sur une branche, deux corneilles ont plutôt l'air de vautours. Et le commentaire laisse peu de doutes sur le destin de «l'irréductible village» : «*nos Gaulois, réunis pour un de leurs traditionnels banquets, célèbrent une nouvelle victoire, une victoire sur les Romains, une victoire sur le temps qui passe, inexorablement…*»
Mais Rousseau a peint le bonheur de la vie collective pour donner à ses contemporains l'envie de le recréer grâce à un nouveau contrat social. Si nous aimons toujours Astérix, plus de cinquante ans après, ce n'est pas seulement parce que cette image de joie partagée autour du banquet commun nous fait rêvasser à un passé englouti, celui d'une société fraternelle. C'est aussi parce que nous croyons encore à sa renaissance. ✳

# « Il n'y a pas d'homme qui en dehors de sa spécialité ne soit crédule. »

**JORGE LUIS BORGES**
«Le Miracle secret», *Fictions*, Folio, Gallimard, 1974, p.165.

# philosophie
## HORS-SÉRIE        MAGAZINE

Retrouvez-nous
aussi sur le site www.philomag.com

Les philosophes et le communisme / Sempé / Tintin au pays des philosophes / Le Cosmos des philosophes...

## COMMANDE DES HORS-SÉRIES

**12 € TTC** (DOM-COM et étranger : 14 €)
**Montaigne**

**8 € TTC** (DOM-COM et étranger : 11 €)
**Guide de survie au bac philo**

**12 € TTC** (DOM-COM et étranger : 14 €)
**Les philosophes
et le communisme**

**13 € TTC** (DOM-COM et étranger : 15 €)
**Sempé**

**12 € TTC** (DOM-COM et étranger : 14 €)
**Les mythes grecs.
Pourquoi on n'y échappe pas**

**12 € TTC** (DOM-COM et étranger : 14 €)
**Albert Camus, la pensée révoltée**

**12 € TTC** (DOM-COM et étranger : 14 €)
**Proust. À la recherche
du temps perdu**

**11 € TTC** (DOM-COM et étranger : 14 €)
**La vie a-t-elle un sens ?
Spécial BD et philosophie**

**11 € TTC** (DOM-COM et étranger : 13 €)
**Les philosophes face au nazisme**

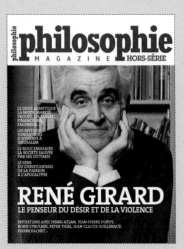

**11 € TTC** (DOM-COM et étranger : 13 €)
**René Girard. Le penseur du désir
et de la violence**

**11 € TTC** (DOM-COM et étranger : 13 €)
**L'Iliade et l'Odyssée**

**11 € TTC** (DOM-COM et étranger : 13 €)
**Le Cosmos des philosophes**

# Découvrez et commandez nos hors-séries

**11 € TTC** (DOM-COM et étranger : 13 €)
Tintin au pays des philosophes

**10 € TTC** (DOM-COM et étranger : 12 €)
Le Coran

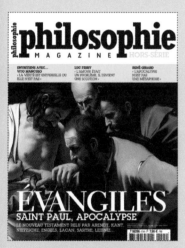

**10 € TTC** (DOM-COM et étranger : 12 €)
Les Évangiles lus
par les philosophes

**10 € TTC** (DOM-COM et étranger : 12 €)
La Bible des philosophes

**10 € TTC** (DOM-COM et étranger : 12 €)
XXe siècle. Les philosophes
face à l'actualité

➡ SOMMAIRES
DÉTAILLÉS
ET COMMANDE
EN LIGNE SUR
WWW.PHILOMAG.COM

## RÉCAPITULATIF DE VOTRE COMMANDE

○ **Montaigne HS n° 23**
**12 € TTC** (DOM-COM et étranger : 14 €)

○ **Guide de survie
au bac philo HS n° 22**
**8 € TTC** (DOM-COM et étranger : 11 €)

○ **Les philosophes
et le communisme HS n° 21**
**12 € TTC** (DOM-COM et étranger : 14 €)

○ **Sempé HS n° 20**
**13 € TTC** (DOM-COM et étranger : 15 €)

○ **Les mythes grecs.
Pourquoi on n'y échappe
pas HS n° 19**
**12 € TTC** (DOM-COM et étranger : 14 €)

○ **Albert Camus,
la pensée révoltée HS n° 17**
**12 € TTC** (DOM-COM et étranger : 14 €)

○ **Proust. À la recherche
du temps perdu HS n° 16**
**12 € TTC** (DOM-COM et étranger : 14 €)

○ **La vie a-t-elle un sens ?
Spécial BD et philosophie
HS n° 15**
**11 € TTC** (DOM-COM et étranger : 14 €)

○ **Les philosophes face
au nazisme HS n° 13**
**11 € TTC** (DOM-COM et étranger : 13 €)

○ **René Girard.
Le penseur du désir et de
la violence HS n° 12**
**11 € TTC** (DOM-COM et étranger : 13 €)

○ **L'Iliade et l'Odyssée HS n° 11**
**11 € TTC** (DOM-COM et étranger : 13 €)

○ **Le Cosmos des
philosophes HS n° 9**
**11 € TTC** (DOM-COM et étranger : 13 €)

○ **Tintin au pays des
philosophes HS n° 8**
**11 € TTC** (DOM-COM et étranger : 13 €)

○ **Le Coran HS n° 6**
**10 € TTC** (DOM-COM et étranger : 12 €)

○ **Les Évangiles lus
par les philosophes HS n° 5**
**10 € TTC** (DOM-COM et étranger : 12 €)

○ **La Bible
des philosophes HS n° 4**
**10 € TTC** (DOM-COM et étranger : 12 €)

○ **XXe siècle.
Les philosophes face
à l'actualité HS n° 2**
**10 € TTC** (DOM-COM et étranger : 12 €)

*Je règle mes numéros en utilisant le bon de commande ci-contre.*

## BON DE COMMANDE

**Nombre de hors-séries** _____ **Prix total** _____ **€ TTC** Les prix sont frais de port inclus

○ Je règle par chèque postal ou bancaire à l'ordre de Philo Éditions

○ Je règle par carte bancaire Visa ou MasterCard

N° ☐☐☐☐ ☐☐☐☐ ☐☐☐☐ ☐☐☐☐

Expire fin : ☐☐ ☐☐          Date : ___/___/___

N° de contrôle : ☐☐☐          Signature obligatoire

3 derniers chiffres du n° inscrit
au verso de la carte bancaire.

## MES COORDONNÉES

Civilité _____ Nom _____

Prénom _____

Adresse _____

(Bât., Rés., App.) _____

_____ Code postal _____

Ville _____ Pays _____

E-mail _____ Téléphone _____

**Depuis la France métropolitaine**
Bulletin à renvoyer sous
enveloppe, sans l'affranchir, à :
**Philosophie magazine
Libre réponse 19914
75443 Paris cedex 09**

**Depuis les DOM-COM et l'étranger :**
Bulletin à renvoyer sous enveloppe,
en affranchissant votre pli :
**Philosophie magazine
10, rue Ballu
75009 Paris
France**